상위권으로 가는 문제 해결 연산 학습지

응용 연산

받아올림이 있는 한 자리 수의 덧셈

Creative to Math

응용연산 : 상위권으로 가는 문제해결 연산 학습지

요즘 아이들은 초등학교 입학 전에 연산 문제집 한 권 정도는 풀어본 경험이 있습니다. 어릴 때부터 연산 문제를 많이 풀었기 때문에 아이들은 아직 학교에서 배우지 않은 계산 문제를 슥슥 풀어서 부모님들을 흐뭇하게 만들기도 합니다. 그런데 아이들의 연산 능력은 날로 높아지지만 수학 실력은 과거에 비해 그다지 늘지 않은 것 같습니다. 사실 진짜 수학 실력은 연산 문제나 사고력 수학 문제를 주로 푸는 초등 저학년 때는 잘 드러나지 않습니다. 응용 문제를 본격적으로 풀기 시작하는 초등 3, 4학년이 되어서야 아이의 수학 실력을 판별할 수 있습니다.

초등 수학에서 연산이 가장 중요한 것은 부정할 수 없는 사실입니다. 중학생, 고등학생이 되어서 부족한 연산 능력을 키우는 것은 거의 불가능합니다. 이러한 연산의 특수성 때문에 아이들은 어린 나이부터 연산을 반복적으로 연습하여 실력을 키우려고 합니다. 이렇게 열심히 연산을 공부하는데도 왜 어떤 아이들은 수학 문제를 잘 풀지 못하는 것일까요? 그 이유는 현재 연산 학습의 목적이 단지 '계산을 잘 하는 것'이 되어버렸기 때문입니다. 연산은 연산 자체가 목적이 될 수 없으며 수학의 진짜 목표인 문제를 잘 풀기 위한 수단으로 연산을 학습해야 합니다.

과거 초등 수학 교과서의 연산 단원은 ① 원리와 연습 ② 문장제 활용의 단순한 구성이었습니다만 요즘의 교과서는 많이 달라졌습니다. 원리와 연습은 그대로이거나 조금 줄었지만 연산을 응용하는 방식은 좀 더 다양해졌습니다. 계산 능력의 향상만을 꾀하는 것이 아니라 여러 가지 퍼즐이나 수학적 상황 등을 해결할 수 있는 '응용력'에 초점을 맞추고 있다는 것을 보여주는 변화입니다. 따라서 저희는 연산 학습지도 원리나 연습 위주에서 벗어나 실제 문제를 해결할 수 있는 능력에 포인트를 맞추어야 한다고 생각합니다.

'연산은 잘 하는데 수학 문제는 왜 못 풀까요?'에 대한 대답이자 대안으로 저희는 「응용연산」이라는 새로운 컨셉의 연산 학습지를 만들었습니다. 연산 원리를 이해하고 연습하는 것에 그치지 않고, 익힌 것을 활용하는 방법을 바로 보여줄 수 있어야 아이들이 수학 문제에 연산을 효과적으로 적용할 수 있습니다. 연습은 꼭 필요한 만큼만 하고, 더 중요한 응용 문제에 바로 도전함으로써 연산과 문제 해결이 단절되지 않게 하는 것이 「응용연산」에서 기대하는 가장 큰 목표입니다.

「응용연산」을 통해 아이들이 왜 연산을 해야 하는지 스스로 느낄 수 있을 것이라 자신합니다. 이제 연산은 '원리'나 '연습'이 아닌 스스로 문제를 해결할 수 있는 '응용력'입니다.

응용연산의 구성과 특징

- 매일 부담없이 4쪽씩 연산 학습
- 매주 4일간 단계별 연산 학습과 응용 문제를 통한 연산 실력 확인
- 매주 1일 형성평가로 테스트 및 복습

주차별 구성

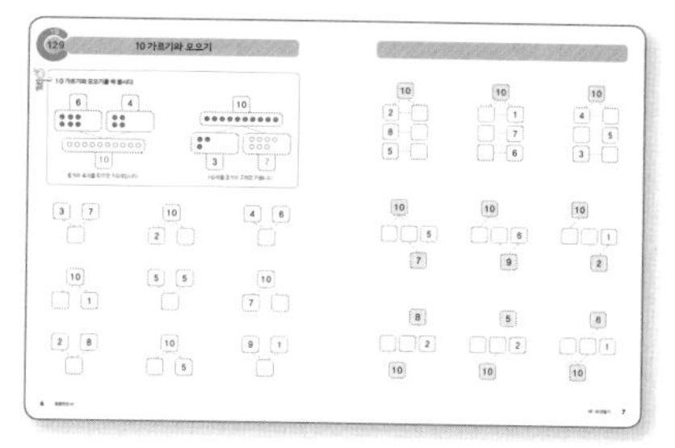

원리연산

대표 문제를 통해 학습하는 매일 새로운 단계별 연산 학습

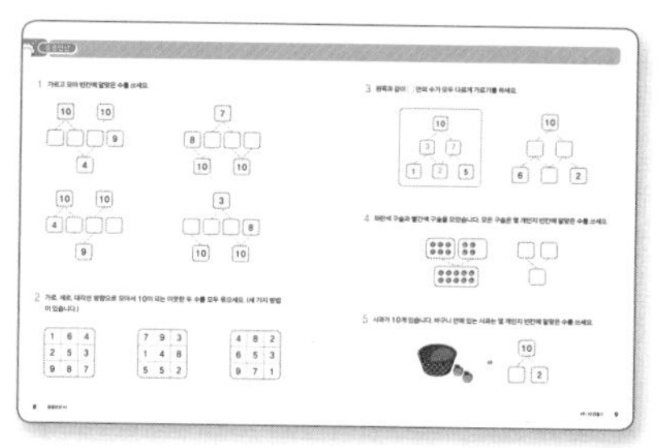

응용연산

기본 문제와 응용 문제를 통한 응용력과 문제해결력 증진

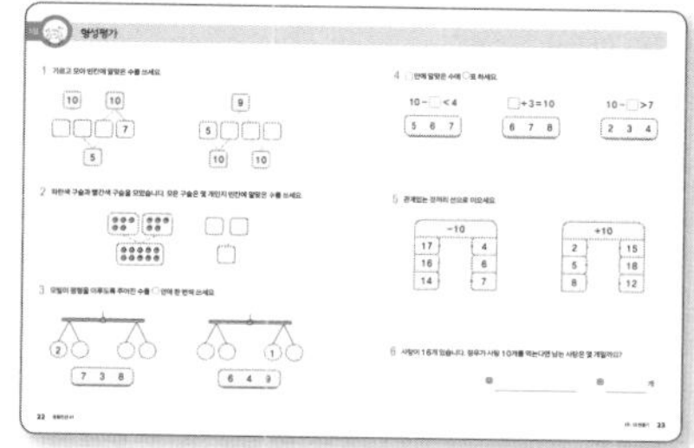

형성평가

가장 중요한 유형을 다시 한번 복습하며 주차 학습 마무리

	1일	2일	3일	4일	5일
1주차	6쪽 ~ 9쪽	10쪽 ~ 13쪽	14쪽 ~ 17쪽	18쪽 ~21쪽	22쪽 ~ 24쪽
2주차	26쪽 ~ 29쪽	30쪽 ~ 33쪽	34쪽 ~ 37쪽	38쪽 ~41쪽	42쪽 ~ 44쪽
3주차	46쪽 ~ 49쪽	50쪽 ~ 53쪽	54쪽 ~ 57쪽	58쪽 ~61쪽	62쪽 ~ 64쪽
4주차	66쪽 ~ 69쪽	70쪽 ~ 73쪽	74쪽 ~ 77쪽	78쪽 ~81쪽	82쪽 ~ 84쪽

정답 및 해설

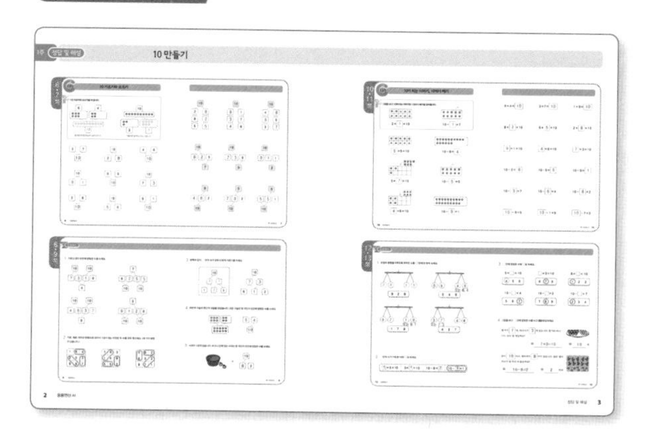

문제와 답을 한눈에 볼 수 있습니다.

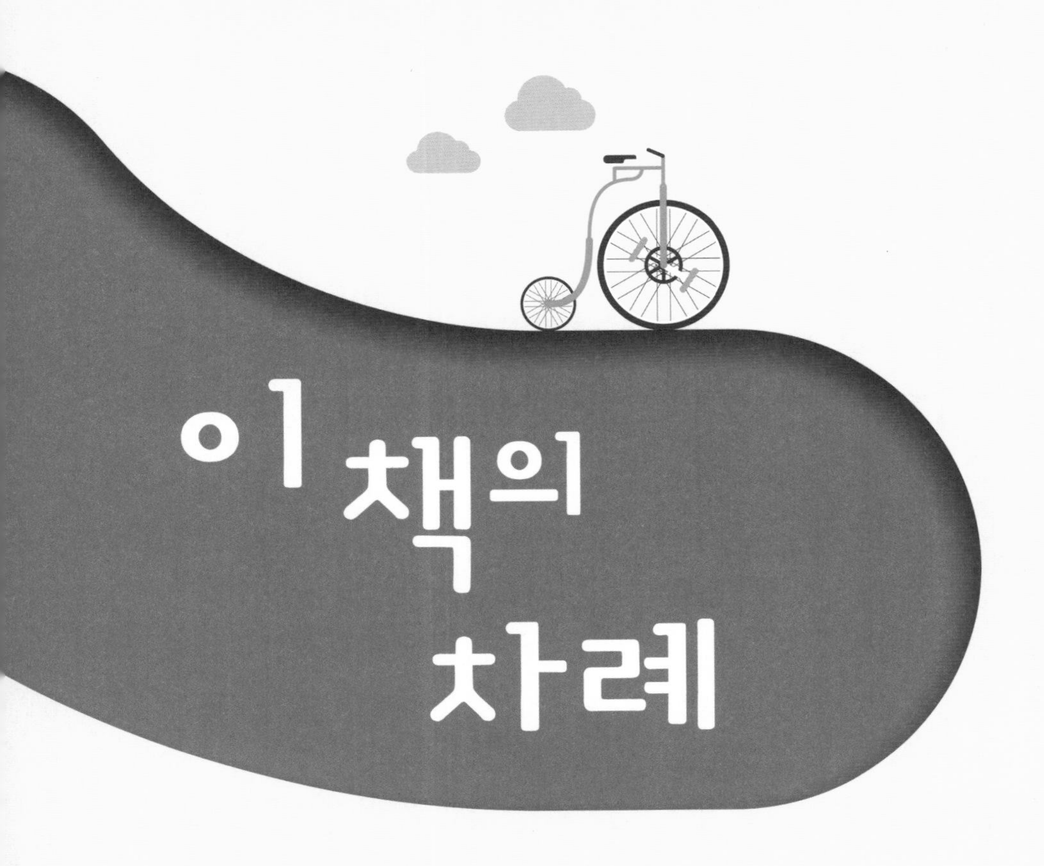
이 책의
차례

10 만들기

10이 되는 더하기와 10에서 빼기

10 가르기와 모으기

개념원리

10 가르기와 모으기를 해 봅시다.

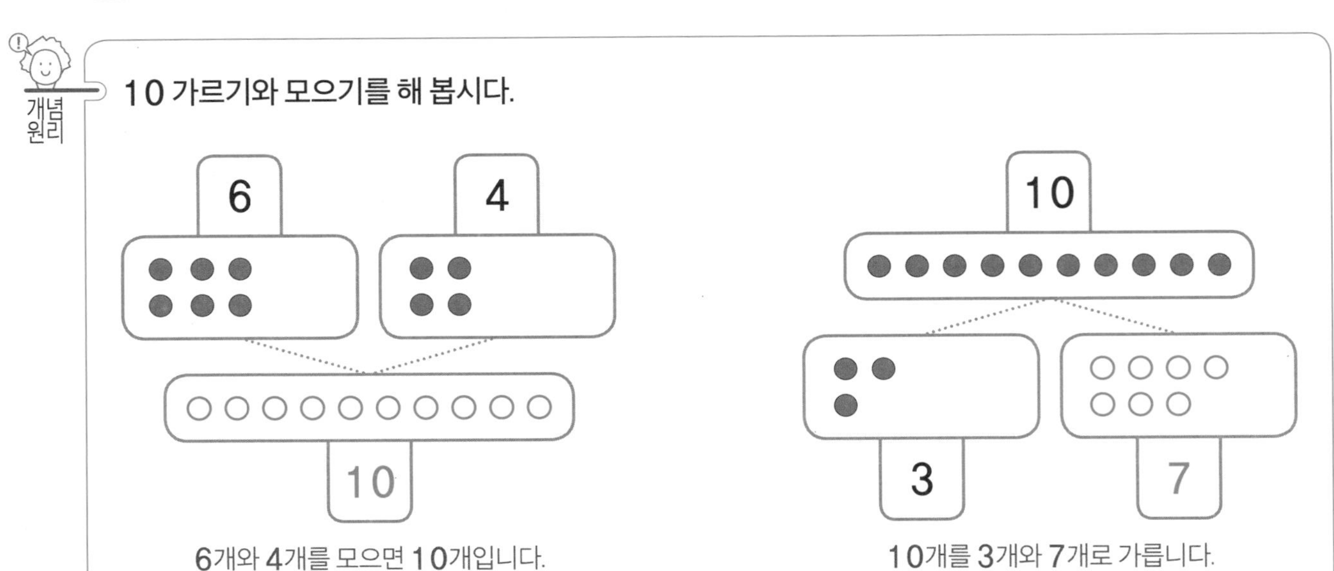

6개와 4개를 모으면 10개입니다.

10개를 3개와 7개로 가릅니다.

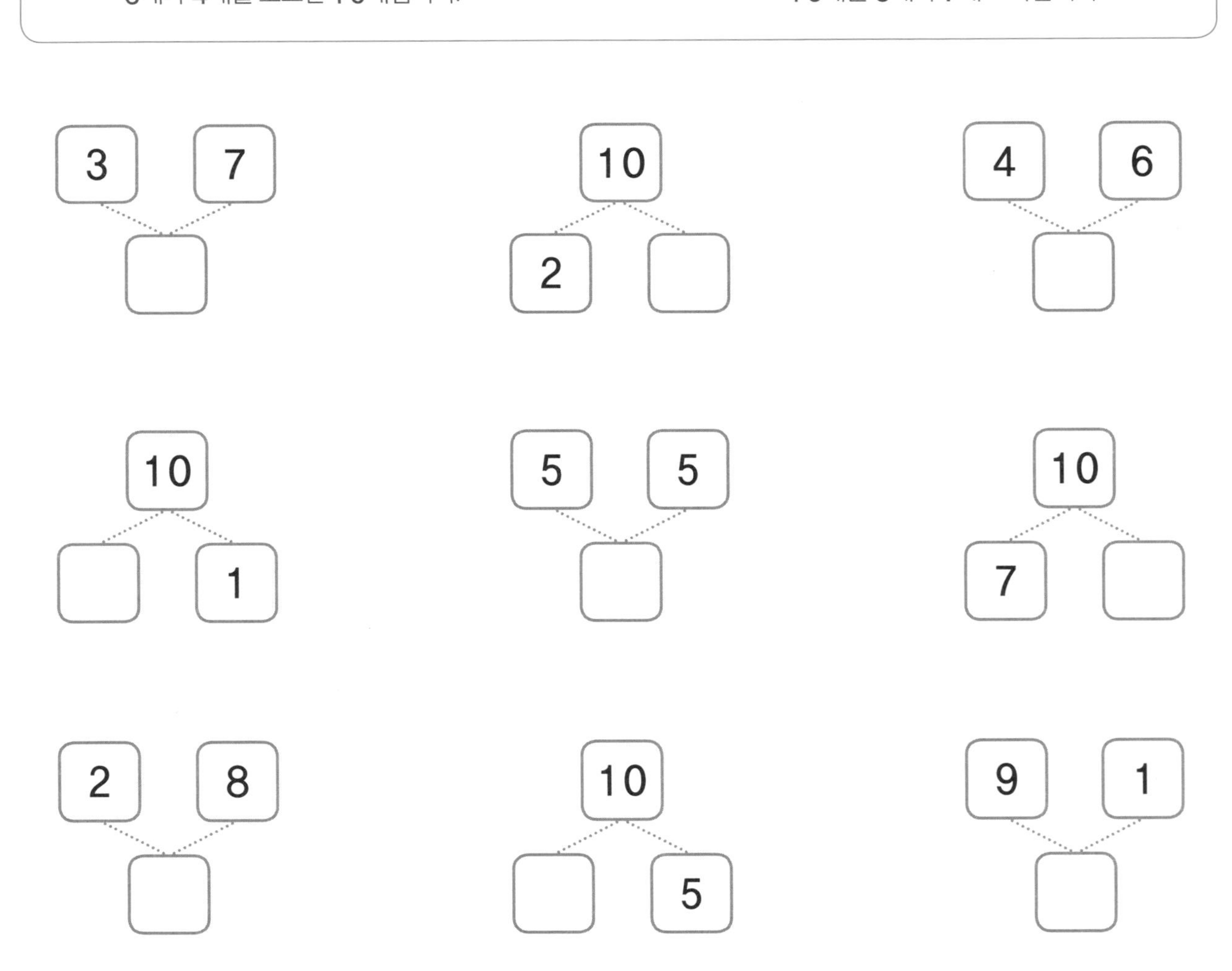

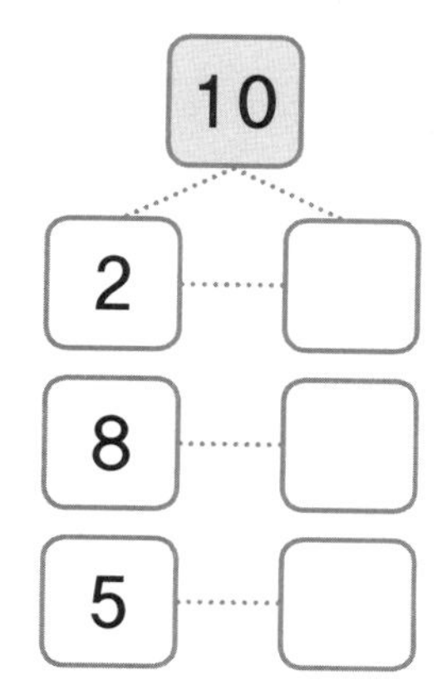
10
2
8
5

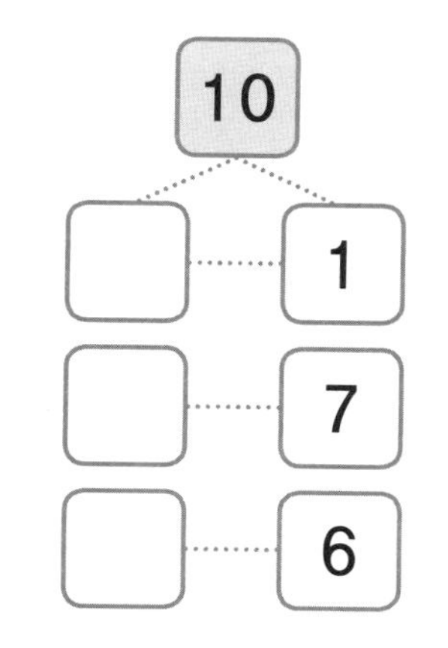
10
1
7
6

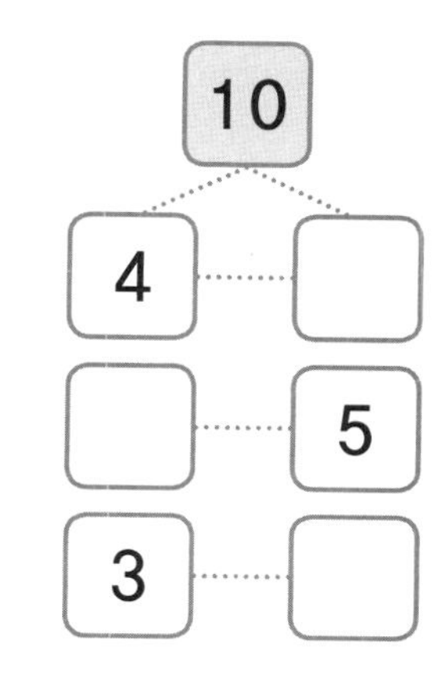
10
4
5
3

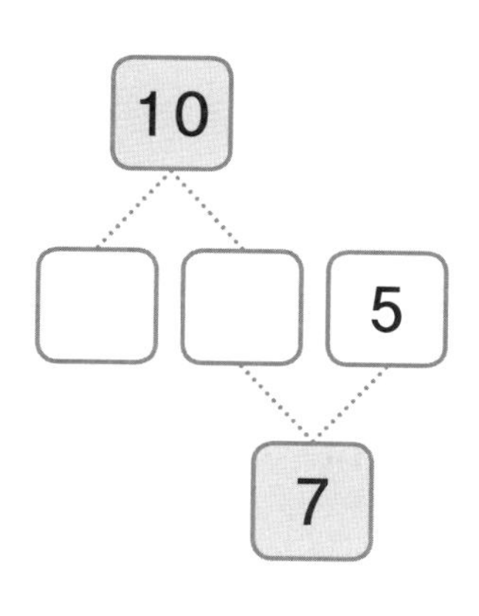
10
5
7

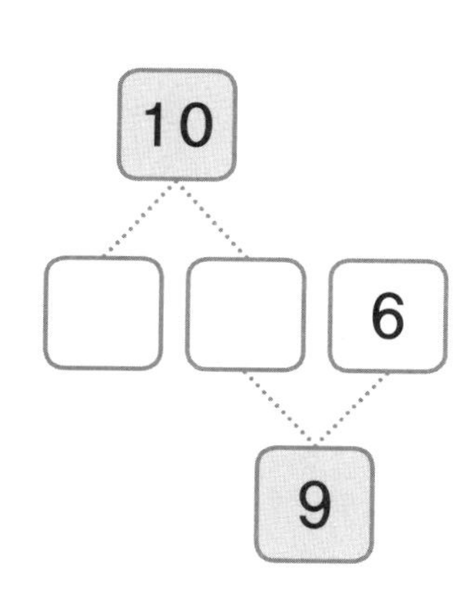
10
6
9

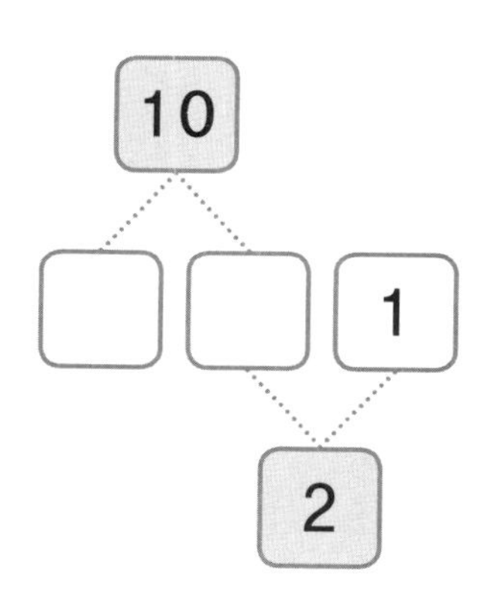
10
1
2

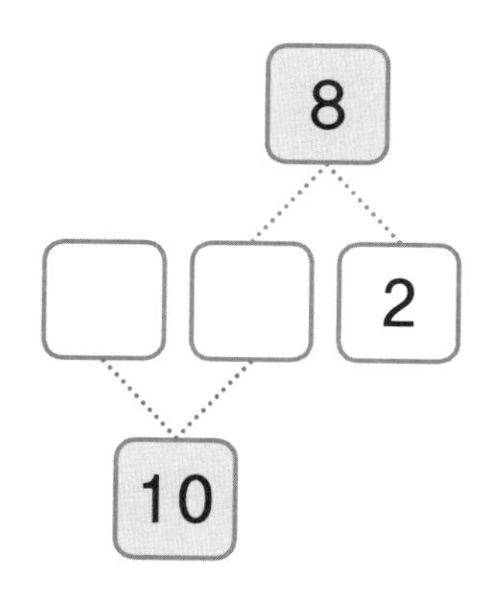
8
2
10

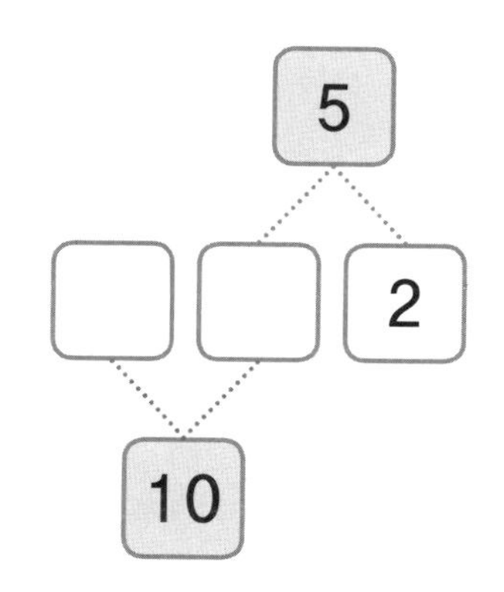
5
2
10

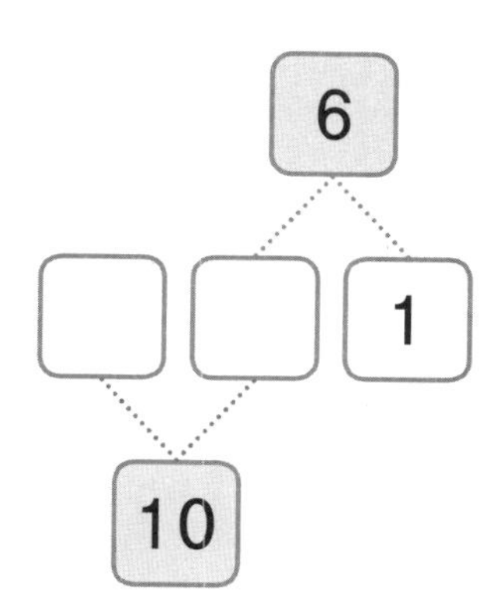
6
1
10

1 가르고 모아 빈칸에 알맞은 수를 쓰세요.

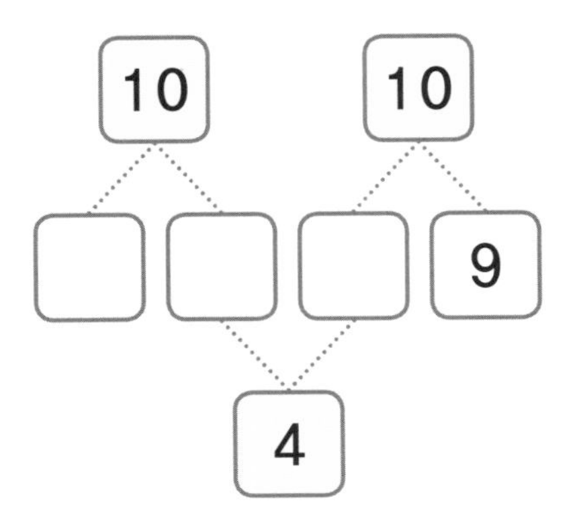

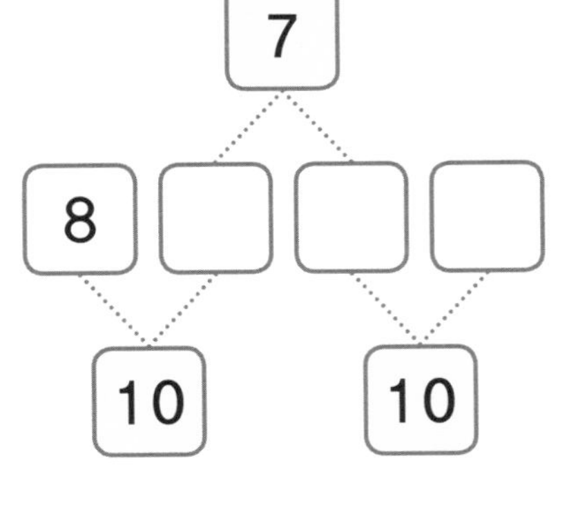

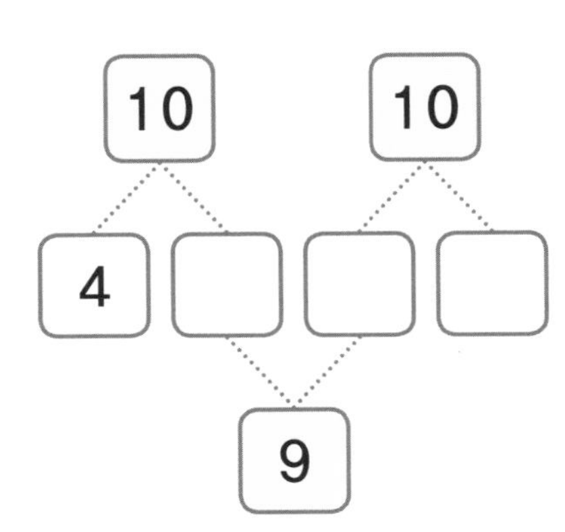

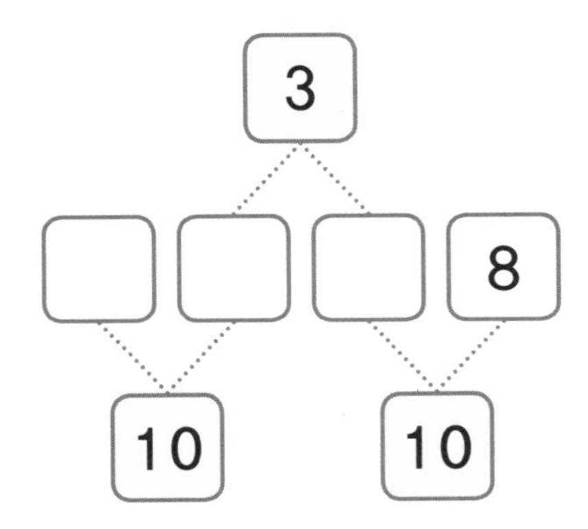

2 가로, 세로, 대각선 방향으로 모아서 10이 되는 이웃한 두 수를 모두 묶으세요. (세 가지 방법이 있습니다.)

1	6	4
2	5	3
9	8	7

7	9	3
1	4	8
5	5	2

4	8	2
6	5	3
9	7	1

3 왼쪽과 같이 □ 안의 수가 모두 다르게 가르기를 하세요.

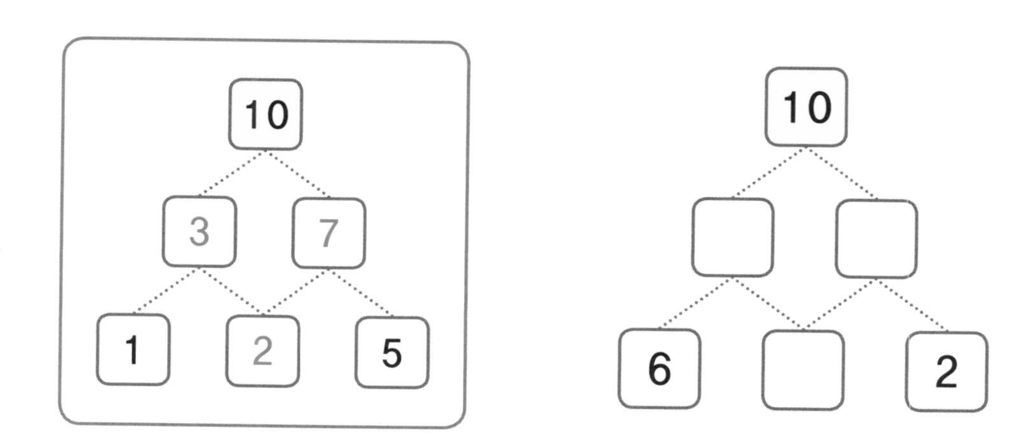

4 파란색 구슬과 빨간색 구슬을 모았습니다. 모은 구슬은 몇 개인지 빈칸에 알맞은 수를 쓰세요.

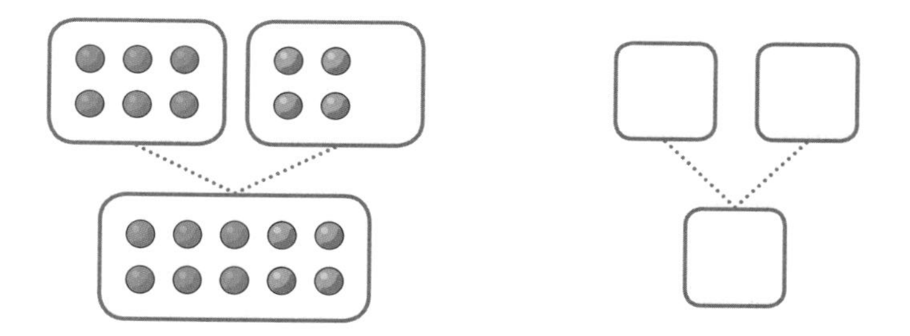

5 사과가 10개 있습니다. 바구니 안에 있는 사과는 몇 개인지 빈칸에 알맞은 수를 쓰세요.

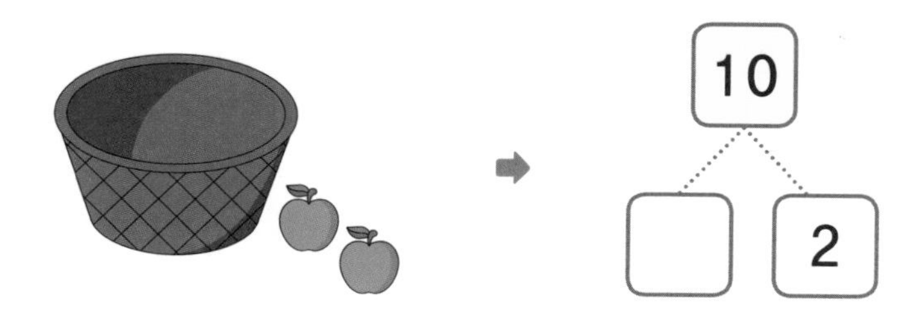

10이 되는 더하기, 10에서 빼기

그림을 보고 10이 되는 더하기와 10에서 빼기를 알아봅시다.

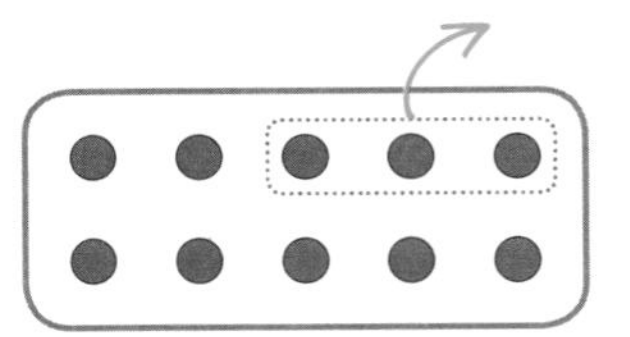

2 + [8] = 10

10 − [3] = 7

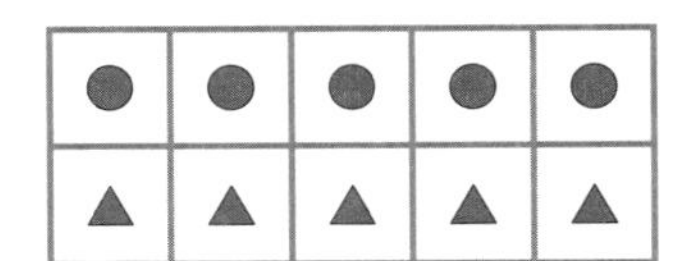

[ ] + 5 = 10

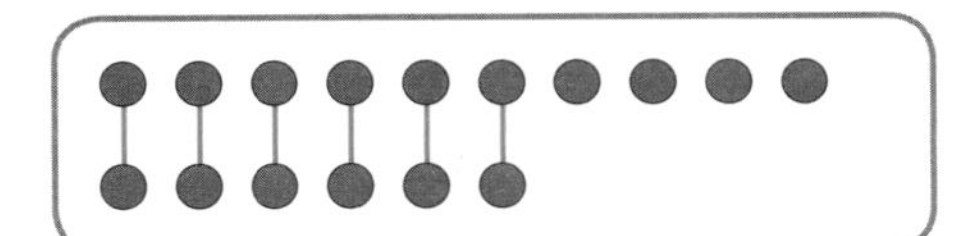

10 − 6 = [ ]

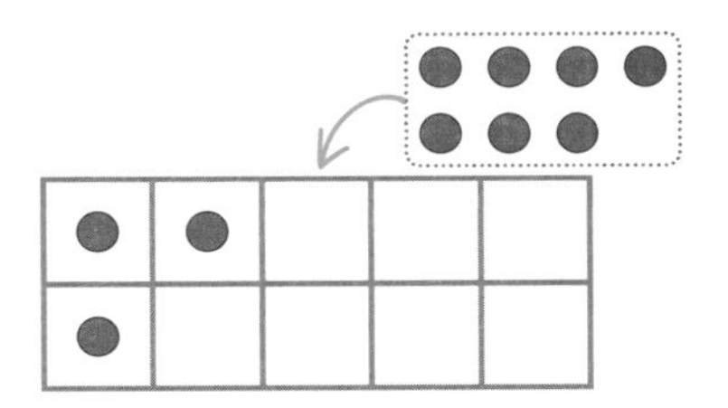

3 + [ ] = 10

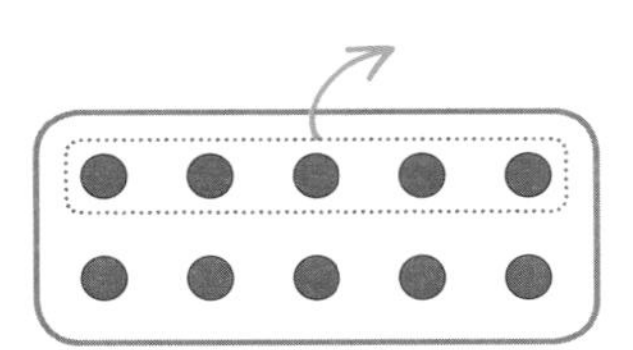

10 − [ ] = 5

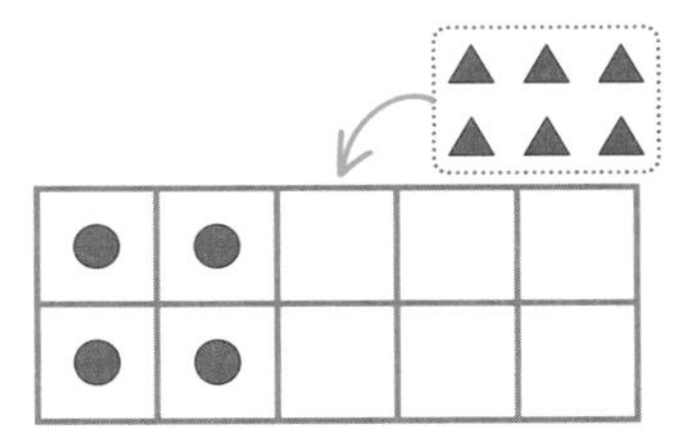

[ ] + 6 = 10

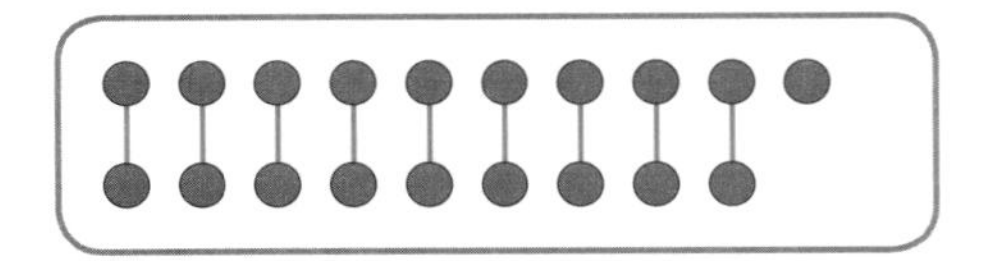

10 − [ ] = 1

$6+4=\square$

$3+7=\square$

$1+9=\square$

$8+\square=10$

$5+\square=10$

$2+\square=10$

$\square+1=10$

$\square+6=10$

$\square+3=10$

$10-2=\square$

$10-5=\square$

$10-9=\square$

$10-\square=7$

$10-\square=4$

$10-\square=2$

$\square-5=5$

$\square-1=9$

$\square-7=3$

1 모빌이 평형을 이루도록 주어진 수를 ◯ 안에 한 번씩 쓰세요.

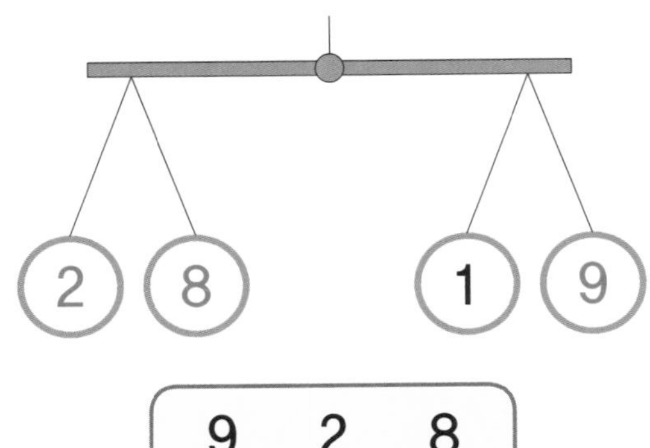

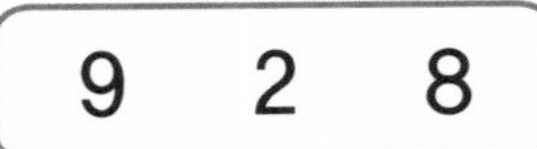

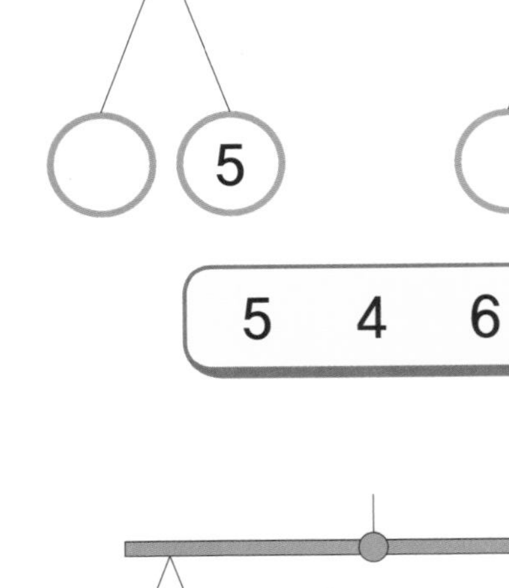

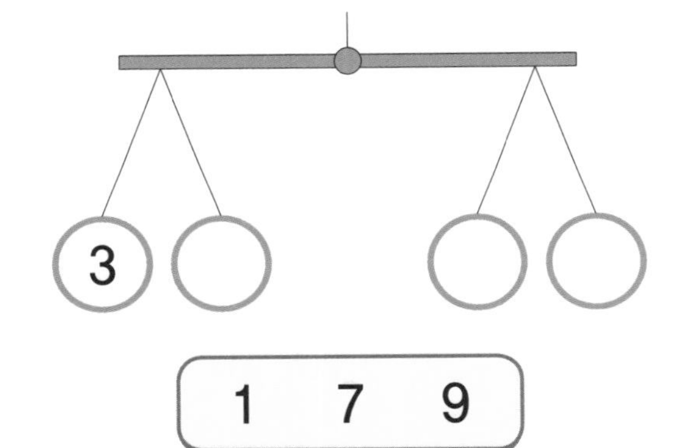

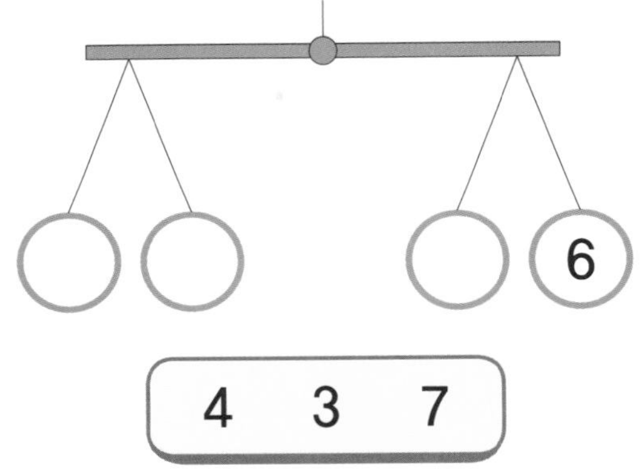

2 □ 안의 수가 가장 큰 식에 ◯표 하세요.

$\square+5=10$	$3+\square=10$	$10-8=\square$	$10-\square=1$

3 □ 안에 알맞은 수에 ◯표 하세요.

$5+\square<10$

(4) 5 6

$\square+3=10$

6 7 8

$8+\square<10$

1 2 3

$10-\square<4$

5 6 7

$10-\square=2$

7 8 9

$10-\square>7$

2 3 4

4 그림을 보고 □ 안에 알맞은 수를 쓰고 물음에 답하세요.

딸기가 □ 개, 바나나가 □ 개 있습니다. 딸기와 바나나는 모두 몇 개일까요?

식 ____________________ 답 __________ 개

닭이 □ 마리, 병아리가 □ 마리 있습니다. 닭은 병아리보다 몇 마리 더 많을까요?

식 ____________________ 답 __________ 마리

3일

131 10 더하기 빼기

10을 더하고 빼는 식을 알아봅시다.

10	8
18	

10 + [8] = 18 18 − [10] = 8

8 + [10] = 18 18 − [8] = 10

10	7
17	

10 + [ ] = 17 17 − [ ] = 7

7 + [ ] = 17 17 − [ ] = 10

10	5
15	

10 + [ ] = 15 15 − [ ] = 5

5 + [ ] = 15 15 − [ ] = 10

10	6
16	

10 + [ ] = 16 16 − [ ] = 6

6 + [ ] = 16 16 − [ ] = 10

10	9
19	

10 + [ ] = 19 19 − [ ] = 9

9 + [ ] = 19 19 − [ ] = 10

$10+5=\square$ $7+10=\square$ $10+9=\square$

$6+\square=16$ $10+\square=18$ $1+\square=11$

$\square+2=12$ $\square+10=14$ $\square+3=13$

$12-2=\square$ $15-5=\square$ $19-9=\square$

$18-\square=8$ $16-\square=6$ $11-\square=1$

$\square-10=4$ $\square-10=3$ $\square-10=7$

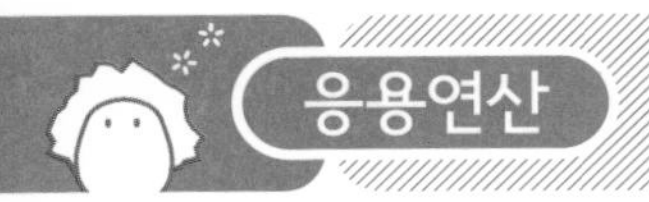

1 계산 결과에 맞게 길을 그리세요.

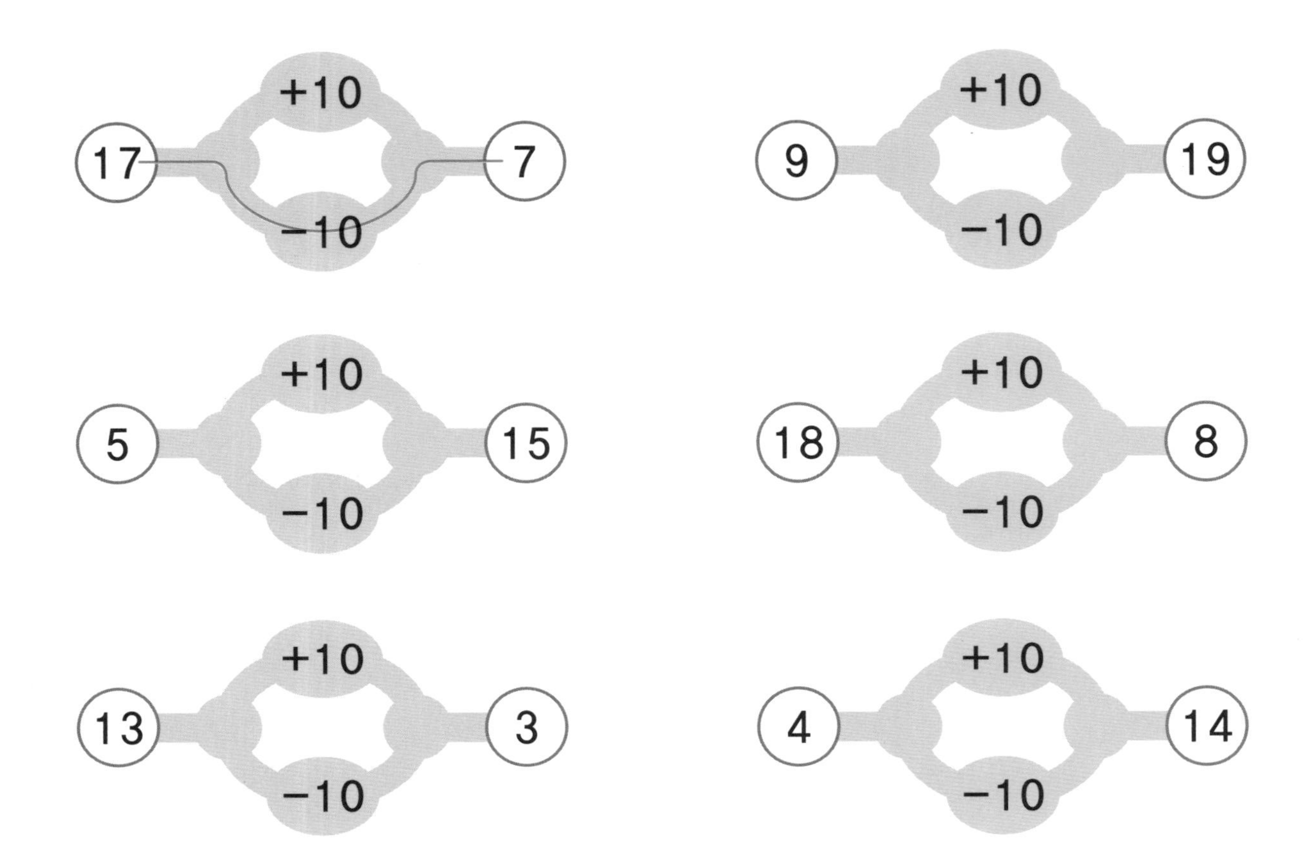

2 관계있는 것끼리 선으로 이으세요.

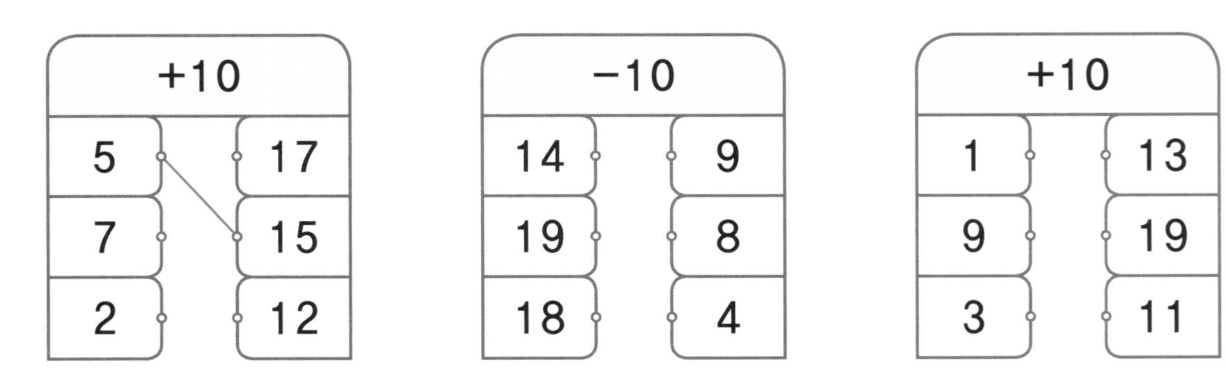

3 주어진 수를 이용하여 덧셈식 2개와 뺄셈식 2개를 만드세요.

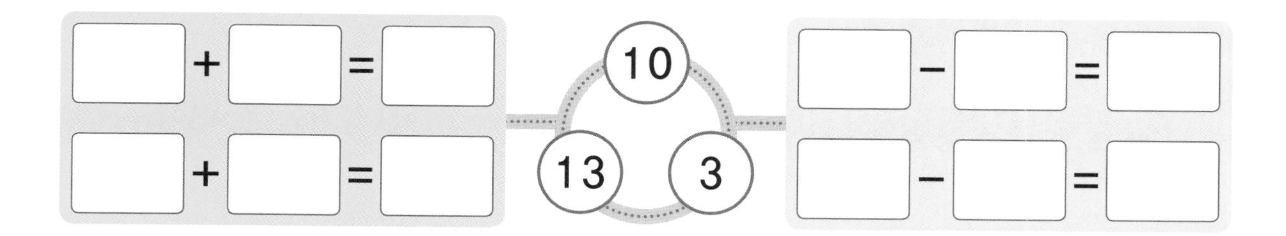

4 같은 모양은 같은 수, 다른 모양은 다른 수를 나타냅니다. ★은 얼마일까요?

5 + ◆ = 15 17 − ◆ = ★

★ =

5 알맞은 식에 ○표 하고 답을 쓰세요.

지현이는 책을 지난주에 10권 읽었고, 이번 주에 8권 읽었습니다. 지현이가 지난주와 이번 주에 읽은 책은 모두 몇 권일까요?

8 + 2 = 10	10 + 8 = 18	10 − 8 = 2	10 − 2 = 8

답 권

사과가 13개 있습니다. 형철이가 사과를 3개 먹는다면 남는 사과는 몇 개일까요?

10 + 3 = 13	13 + 3 = 16	13 − 3 = 10	13 − 10 = 3

답 개

세 수의 합

합이 10이 되는 두 수를 더한 뒤 나머지 수를 더하여 세 수의 합을 구해 봅시다.

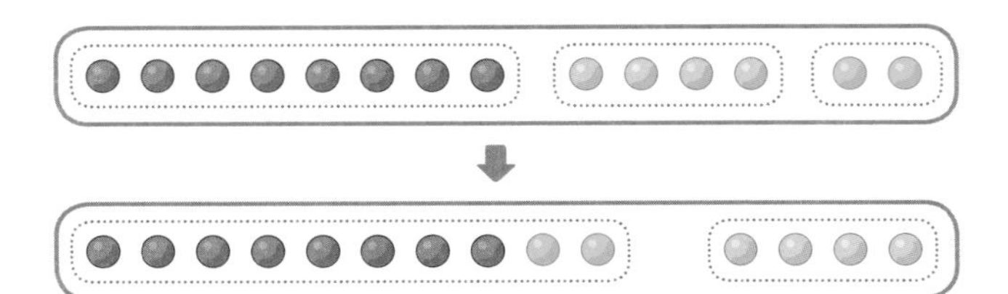

8 + 4 + 2

10 + 4 = 14

10이 되는 두 수를 먼저 더해 10을 만든 후 나머지 수를 더합니다.

3 + 7 + 5

□ + 5 = □

1 + 6 + 4

1 + □ = □

1 + 8 + 9

□ + 8 = □

5 + 5 + 3

□ + 3 = □

7 + 4 + 6

7 + □ = □

7 + 6 + 3

□ + 6 = □

2 + 4 + 8

□ + 4 = □

5 + 9 + 5

9 + □ = □

$2 + 8 + 5 = \square$

$9 + 1 + 6 = \square$

$2 + 7 + 3 = \square$

$8 + 5 + 5 = \square$

$4 + 5 + 6 = \square$

$8 + 9 + 2 = \square$

$3 + 7 + 1 = \square$

$2 + 3 + 7 = \square$

$8 + 9 + 2 = \square$

$9 + 1 + 7 = \square$

$7 + 5 + 5 = \square$

$5 + 6 + 5 = \square$

$1 + 9 + 3 = \square$

$5 + 4 + 6 = \square$

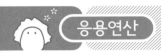

1 계산 결과에 맞게 길을 그리세요.

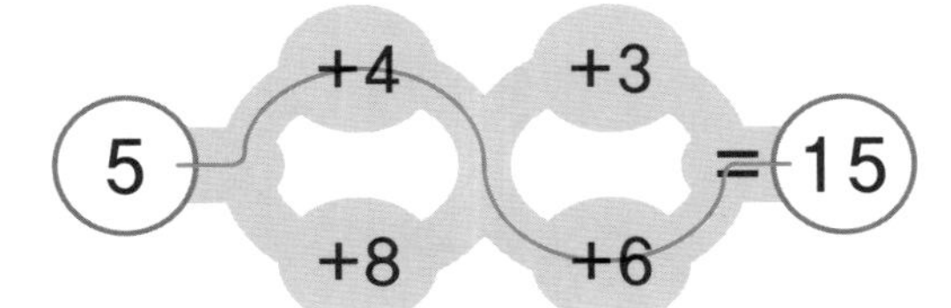

7 (+3 / +5) (+4 / +6) = 14

3 (+8 / +6) (+9 / +7) = 16

8 (+8 / +2) (+9 / +1) = 19

2 합이 ◠ 안의 수인 세 수를 모두 찾아 ○표 하세요.

17			
3	(7)	(8)	(2)

15			
5	3	7	6

14			
2	5	4	8

18			
8	1	7	9

3 같은 모양은 같은 수, 다른 모양은 다른 수를 나타냅니다. □ 안에 알맞은 수를 쓰세요.

◆ + 7 + ♠ = 17

◆ + ♠ = □

4 소영이는 빨간색 색종이 8장, 파란색 색종이 3장, 노란색 색종이 2장을 가지고 있습니다. 소영이가 가지고 있는 색종이는 모두 몇 장일까요?

식 □ + □ + □ = □ 답 □ 장

5 사과 4개, 귤 6개, 배 8개가 있습니다. 과일은 모두 몇 개일까요?

식 ______ 답 ______ 개

6 농장에 토끼 5마리, 염소 4마리, 오리 5마리가 있습니다. 농장에 있는 동물은 모두 몇 마리일까요?

식 ______ 답 ______ 마리

형성평가

1 가르고 모아 빈칸에 알맞은 수를 쓰세요.

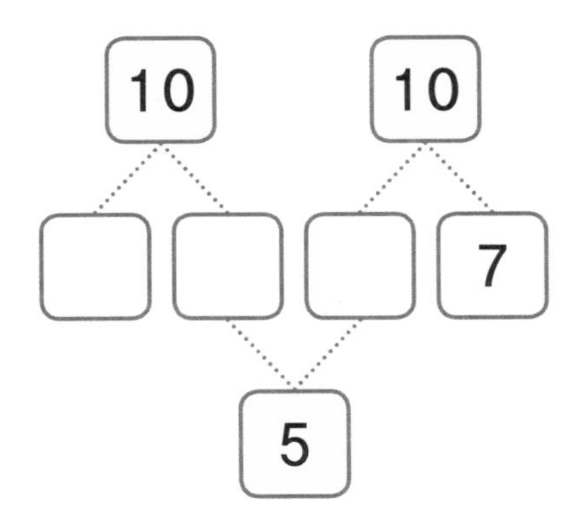

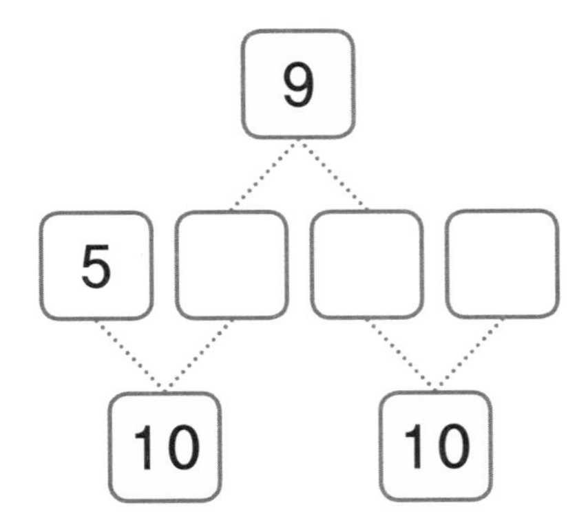

2 파란색 구슬과 빨간색 구슬을 모았습니다. 모은 구슬은 몇 개인지 빈칸에 알맞은 수를 쓰세요.

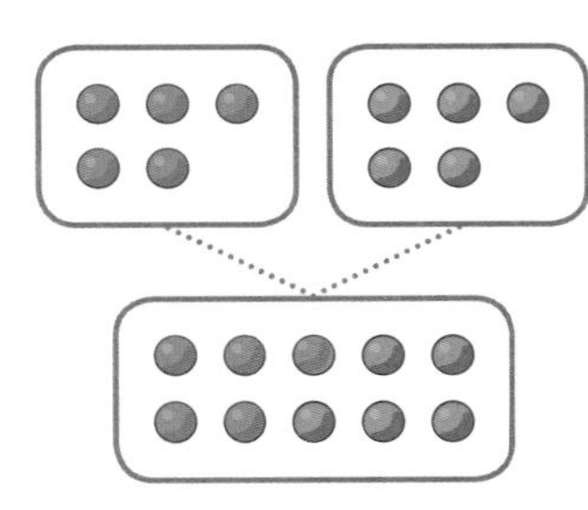

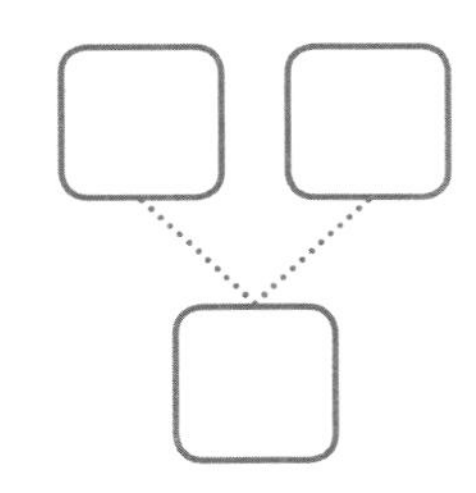

3 모빌이 평형을 이루도록 주어진 수를 ◯ 안에 한 번씩 쓰세요.

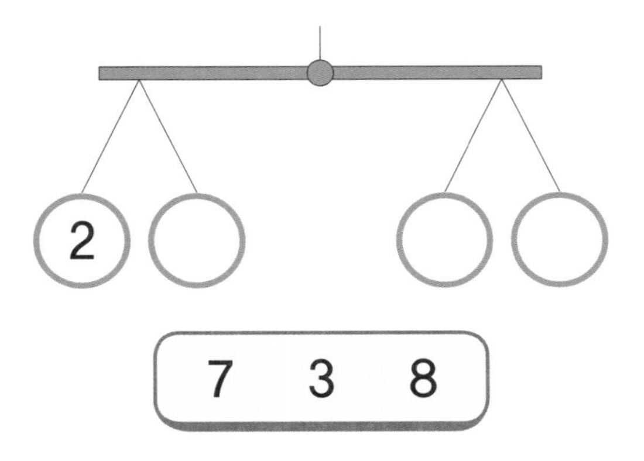

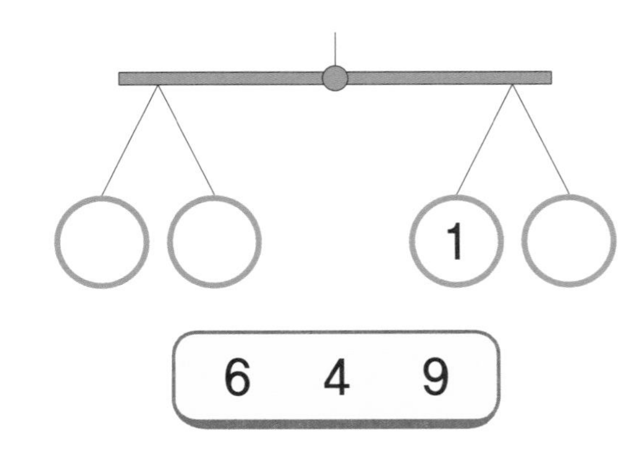

4 □ 안에 알맞은 수에 ○표 하세요.

$10 - \square < 5$

4 5 6

$\square + 4 = 10$

5 6 7

$10 - \square > 3$

6 7 8

5 관계있는 것끼리 선으로 이으세요.

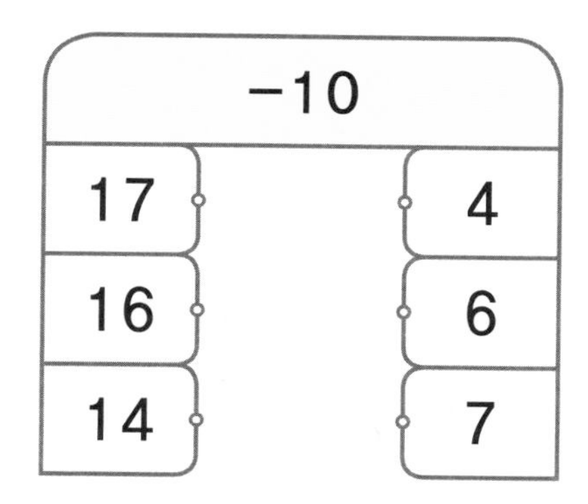

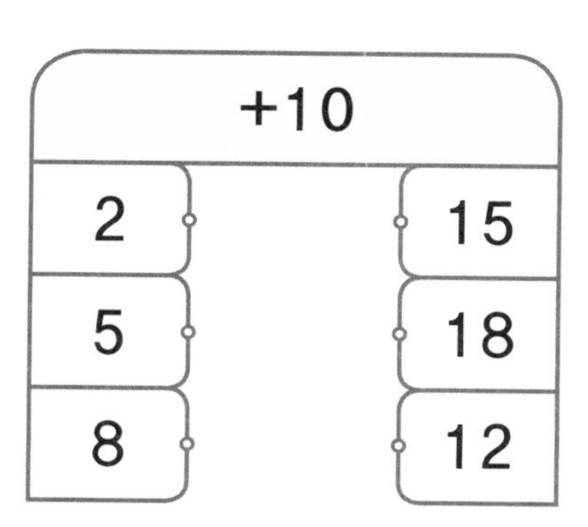

6 사탕이 16개 있습니다. 정우가 사탕 10개를 먹는다면 남는 사탕은 몇 개일까요?

식 ________________ 답 ________ 개

7 계산 결과에 맞게 길을 그리세요.

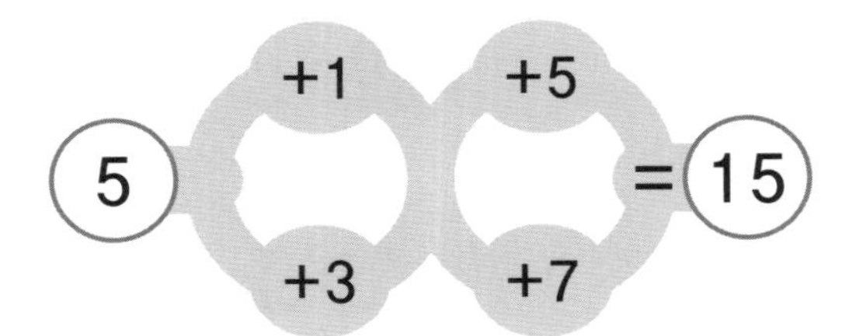

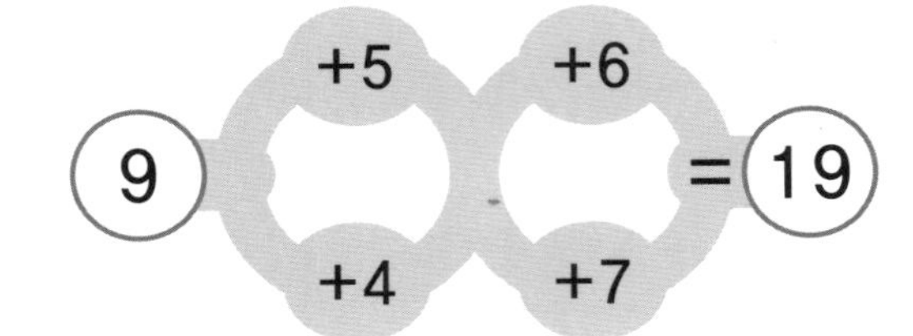

8 합이 안의 수인 세 수를 모두 찾아 ○표 하세요.

13

7 1 9 3

17

7 6 2 8

9 빨간색 구슬 7개, 파란색 구슬 6개, 노란색 구슬 3개가 있습니다. 구슬은 모두 몇 개일까요?

식 ______________ 답 ________ 개

2주차

두 수의 덧셈

받아올림이 있는 한 자리 수의 덧셈

1일

133 (큰 수)+(작은 수)

덧셈을 해 봅시다.

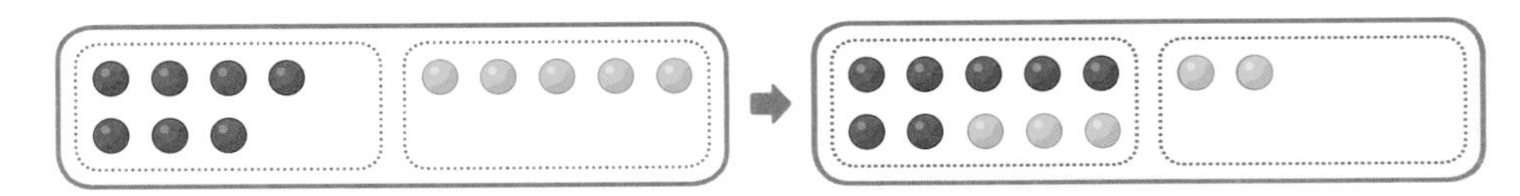

7 + 5 = [10] + 2 = [12]

(5 → [3], 2)

5를 3과 2로 가르기한 다음, 7에 3을 먼저 더해 10을 만든 후 다시 2를 더합니다.

8 + 3 = [ ] + 1 = [ ]
(3 → [ ], 1)

7 + 4 = [ ] + 1 = [ ]
(4 → [ ], 1)

6 + 5 = [ ] + 1 = [ ]
(5 → [ ], 1)

8 + 6 = [ ] + 4 = [ ]
(6 → [ ], 4)

9 + 4 = [ ] + 3 = [ ]
(4 → [ ], 3)

7 + 6 = [ ] + 3 = [ ]
(6 → [ ], 3)

8 + 4 = [ ] + 2 = [ ]
(4 → [ ], 2)

9 + 6 = [ ] + 5 = [ ]
(6 → [ ], 5)

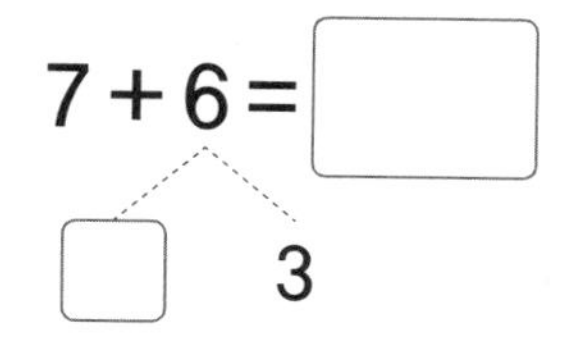

$8 + 5 = \square$ (□, 3)

$9 + 7 = \square$ (□, 6)

$9 + 3 = \square$ (□, 2)

$8 + 7 = \square$ (□, 5)

$7 + 4 = \square$ (□, 1)

$8 + 6 = \square$

$8 + 5 = \square$

$9 + 8 = \square$

$6 + 5 = \square$

$7 + 7 = \square$

$9 + 5 = \square$

$$\begin{array}{r} 7 \\ +\ 5 \\ \hline \square \end{array} \qquad \begin{array}{r} 9 \\ +\ 6 \\ \hline \square \end{array} \qquad \begin{array}{r} 8 \\ +\ 3 \\ \hline \square \end{array} \qquad \begin{array}{r} 6 \\ +\ 6 \\ \hline \square \end{array}$$

1 관계있는 것끼리 선으로 이으세요.

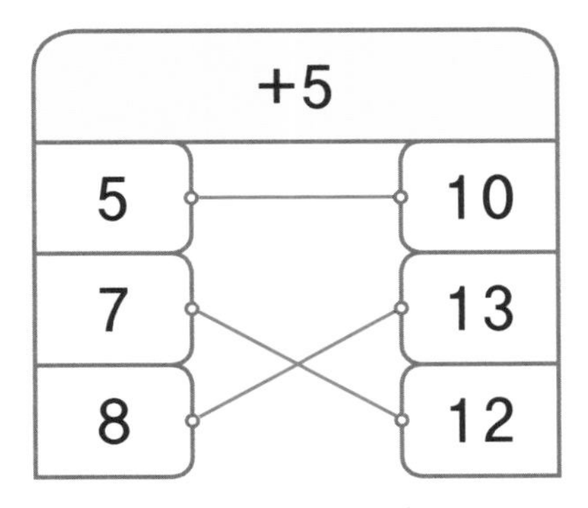

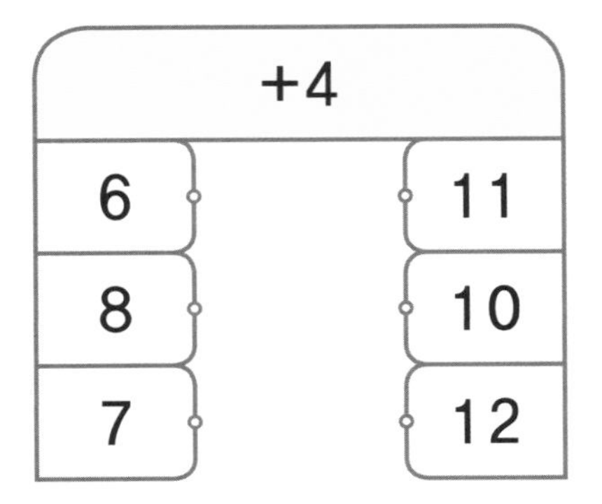

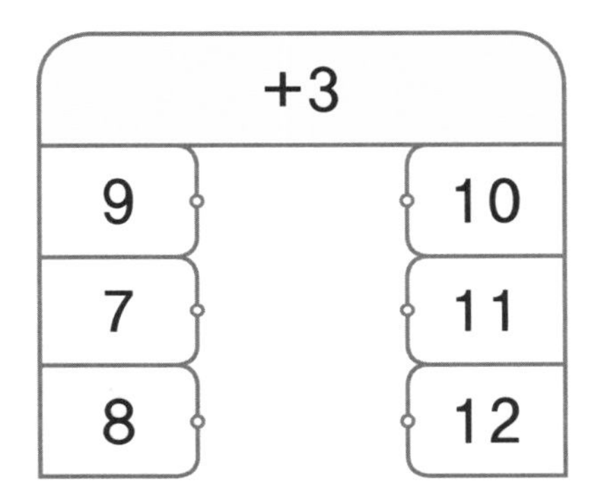

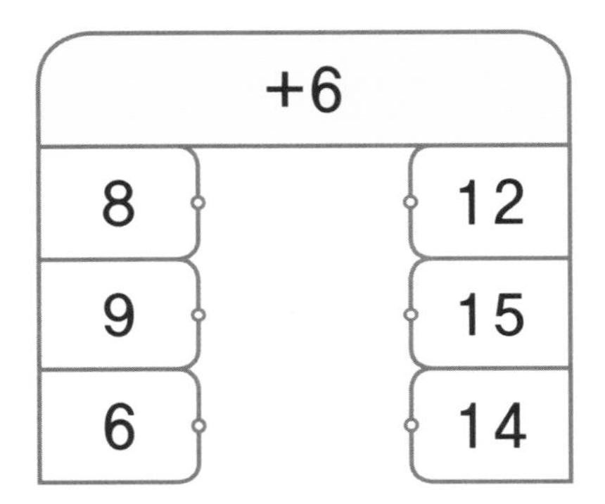

2 짝지은 두 수의 합을 빈칸에 쓰세요.

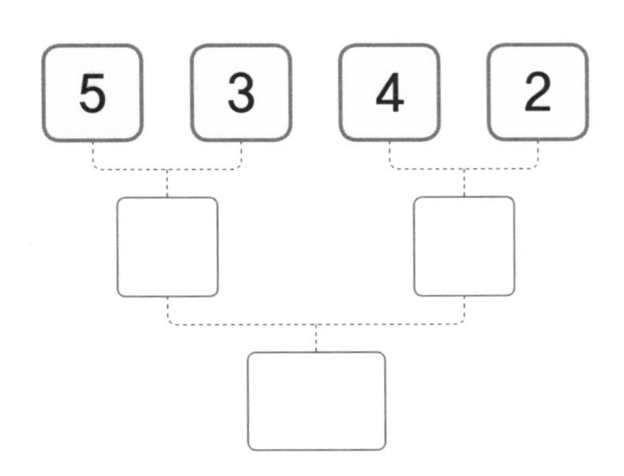

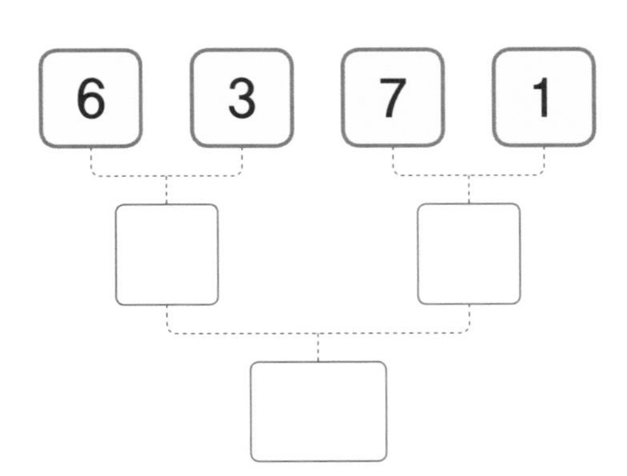

3 같은 모양에 있는 수의 합을 구하세요.

7

8

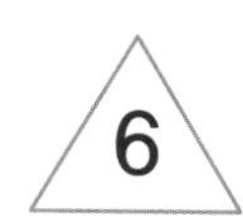
6

9

5

6

3

2

13

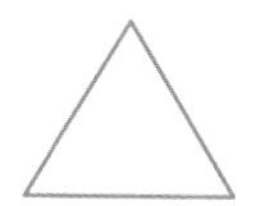

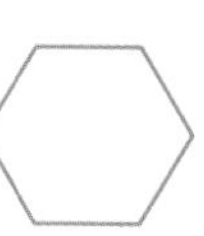

4 관계있는 것끼리 선으로 잇고 식을 완성하세요.

택시 8대, 버스 7대가 있습니다.	신발은 모두 몇 켤레일까요?	⇨ □ + □ = □
복숭아 9개, 수박 3개가 있습니다.	과일은 모두 몇 개일까요?	⇨ □ + □ = □
운동화 6켤레, 구두 5켤레가 있습니다.	자동차는 모두 몇 대일까요?	⇨ □ + □ = □

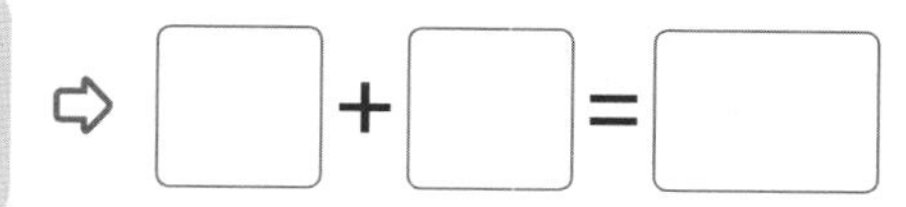

134 (작은 수)+(큰 수)

덧셈을 해 봅시다.

$4+9=3+\boxed{10}=\boxed{13}$

(4 → 3, $\boxed{1}$)

4를 3과 1로 가르기한 다음, 9에 1을 먼저 더해 10을 만든 후 다시 3을 더합니다.

$5+7=2+\square=\square$

(5 → 2, $\square$)

$7+8=5+\square=\square$

(7 → 5, $\square$)

$3+8=1+\square=\square$

(3 → 1, $\square$)

$6+7=3+\square=\square$

(6 → 3, $\square$)

$6+9=5+\square=\square$

(6 → 5, $\square$)

$2+9=1+\square=\square$

(2 → 1, $\square$)

$4+7=1+\square=\square$

(4 → 1, $\square$)

$5+8=3+\square=\square$

(5 → 3, $\square$)

$2+9=\square$

1 $\square$

$8+9=\square$

7 $\square$

$6+8=\square$

4 $\square$

$7+8=\square$

5 $\square$

$5+6=\square$

1 $\square$

$5+9=\square$

4 $\square$

$6+8=\square$

$5+6=\square$

$8+9=\square$

$6+9=\square$

$4+7=\square$

$4+8=\square$

$$\begin{array}{r} 6 \\ +\ 7 \\ \hline \square \end{array}$$

$$\begin{array}{r} 9 \\ +\ 9 \\ \hline \square \end{array}$$

$$\begin{array}{r} 7 \\ +\ 8 \\ \hline \square \end{array}$$

$$\begin{array}{r} 3 \\ +\ 9 \\ \hline \square \end{array}$$

1 빈칸에 알맞은 수를 쓰세요.

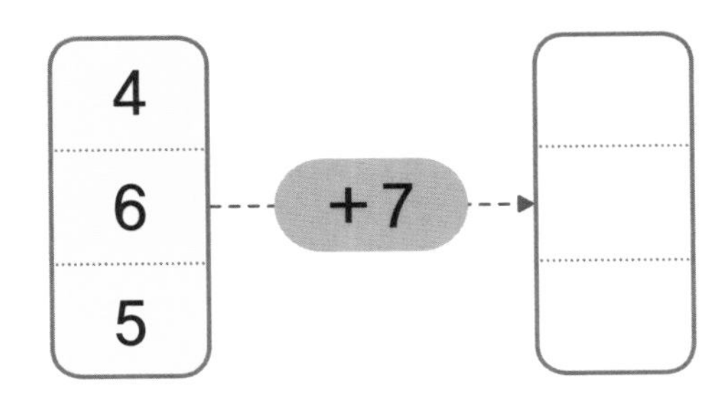

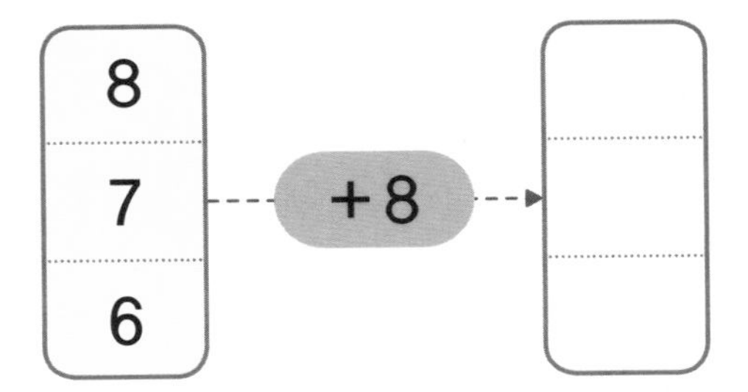

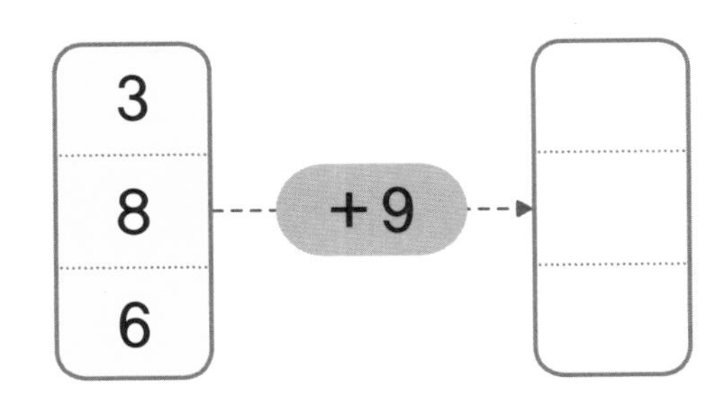

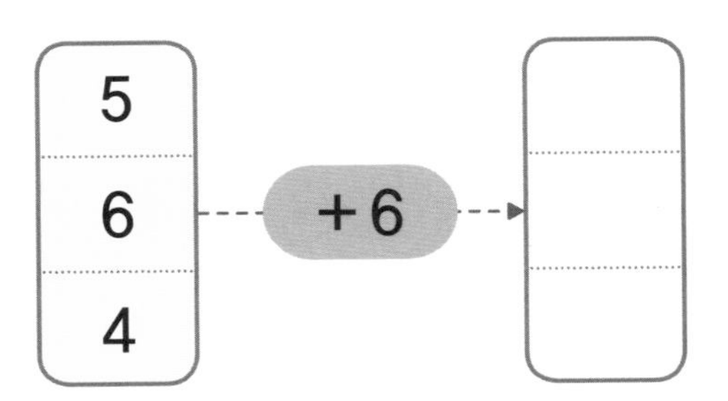

2 안쪽 수와 바깥쪽 수를 더해 □ 안에 알맞은 수를 쓰세요.

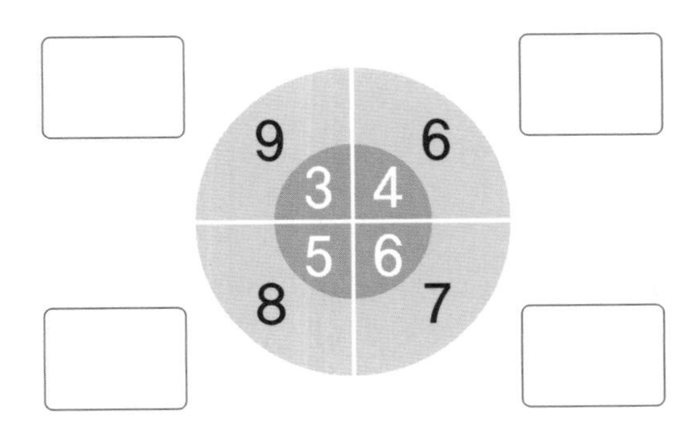

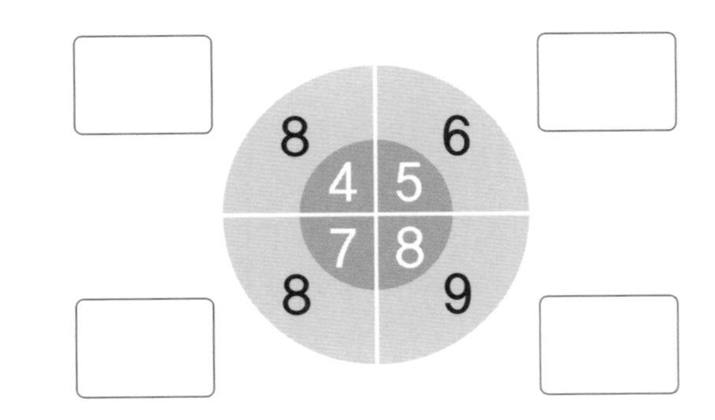

3 다음과 같이 숫자 카드를 한 번씩 모두 사용하여 두 가지 방법으로 덧셈식을 완성하세요.

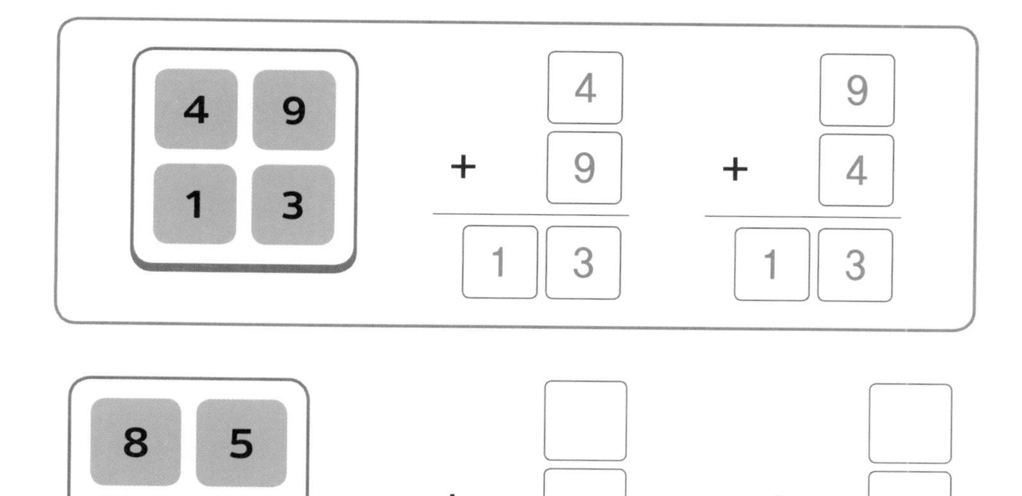

4 다음을 보고 물음에 맞는 식과 답을 쓰세요.

지원: 나는 동화책을 6권 가지고 있어.
민주: 나는 지원이가 가진 것보다 3권 더 많아.

민주가 가진 동화책은 몇 권일까요?

식 ______________ 답 ________ 권

지원이와 민주가 가진 동화책은 모두 몇 권일까요?

식 ______________ 답 ________ 권

□가 있는 덧셈

개념원리

○를 알맞게 그리고, □ 안에 알맞은 수를 써 봅시다.

$8+\boxed{5}=13$

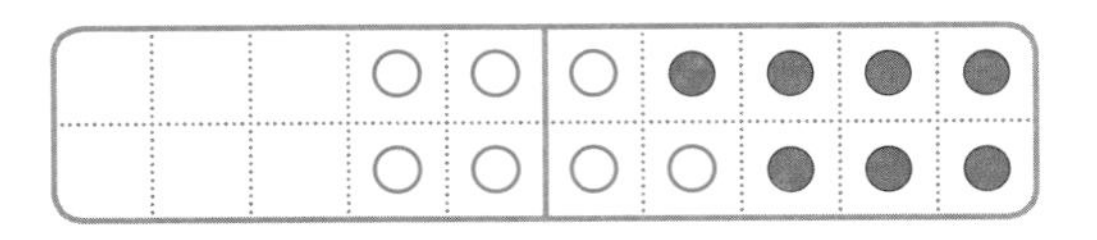

$\boxed{7}+7=14$

$8+\square=11$

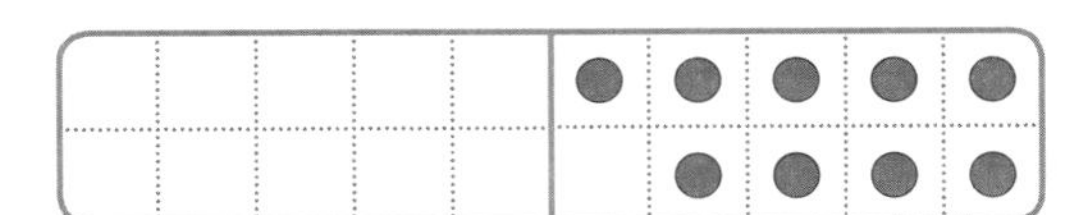

$\square+9=14$

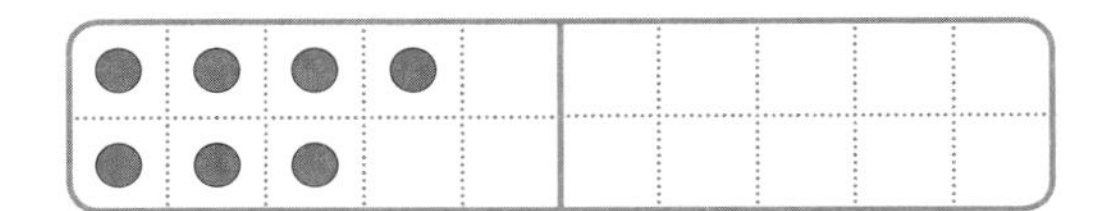

$7+\square=15$

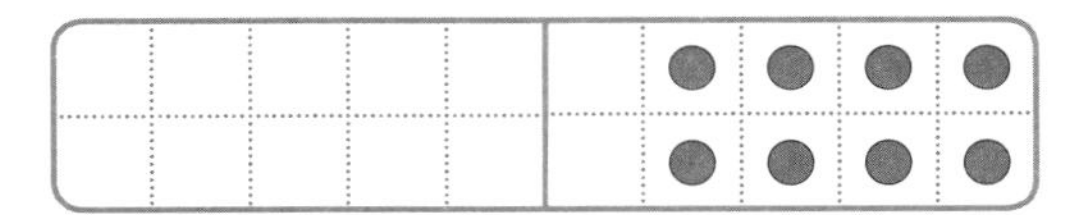

$\square+8=12$

$6+\square=11$

$\square+9=17$

$7+\square=11$ $\square+7=13$ $8+\square=17$

$8+\square=14$ $\square+8=12$ $9+\square=15$

$8+\square=15$ $\square+9=16$ $8+\square=12$

$6+\square=14$ $\square+9=11$ $6+\square=12$

$$\begin{array}{r} 4 \\ +\ \square \\ \hline 1\ 2 \end{array} \qquad \begin{array}{r} 2 \\ +\ \square \\ \hline 1\ 1 \end{array} \qquad \begin{array}{r} 5 \\ +\ \square \\ \hline 1\ 4 \end{array} \qquad \begin{array}{r} 6 \\ +\ \square \\ \hline 1\ 3 \end{array}$$

$$\begin{array}{r} \square \\ +\ 8 \\ \hline 1\ 5 \end{array} \qquad \begin{array}{r} \square \\ +\ 7 \\ \hline 1\ 2 \end{array} \qquad \begin{array}{r} \square \\ +\ 9 \\ \hline 1\ 8 \end{array} \qquad \begin{array}{r} \square \\ +\ 8 \\ \hline 1\ 3 \end{array}$$

1 □ 안에 들어갈 수에 맞게 선으로 이으세요.

$9+\square=17$

$3+\square=12$

$7+\square=13$

$\square+9=15$

$\square+4=13$

$\square+4=12$

2 아래 두 수의 합은 위의 수가 됩니다. 빈칸에 알맞은 수를 쓰세요.

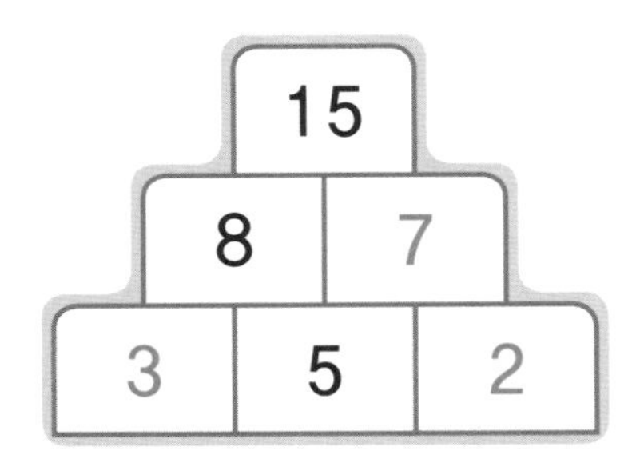

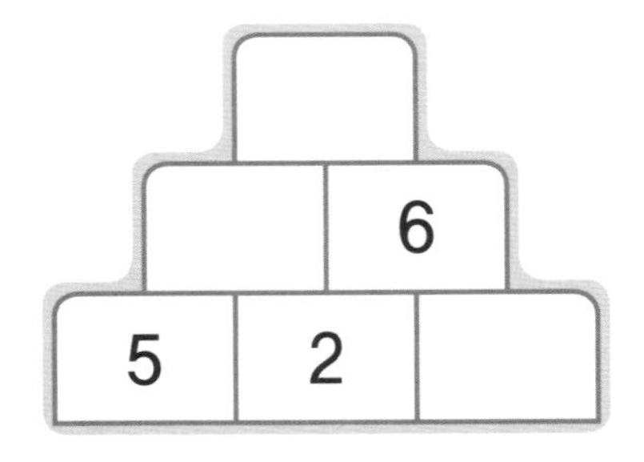

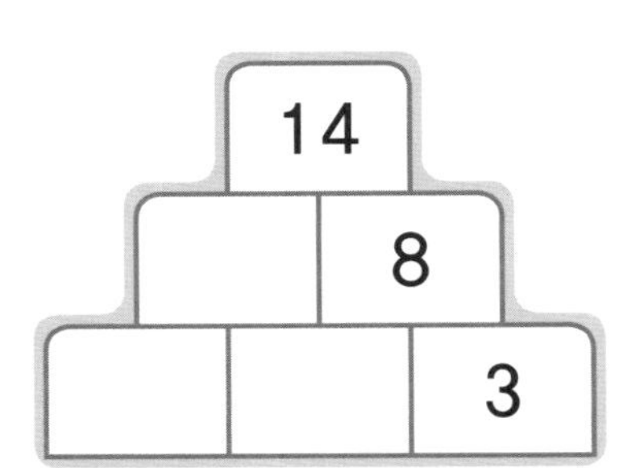

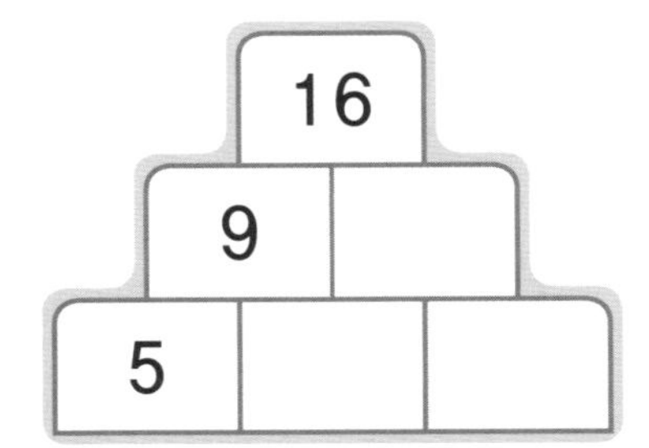

3 성현이의 카드에 있는 두 수의 합과 민호의 카드에 있는 두 수의 합이 같습니다. 성현이가 가지고 있는 뒤집힌 카드의 수는 얼마일까요?

성현

민호

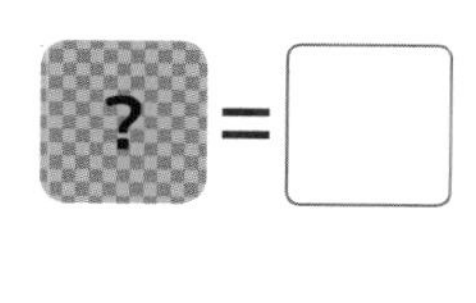

4 그림을 보고 물음에 답하세요.

컵 안에 있는 사탕은 몇 개일까요?

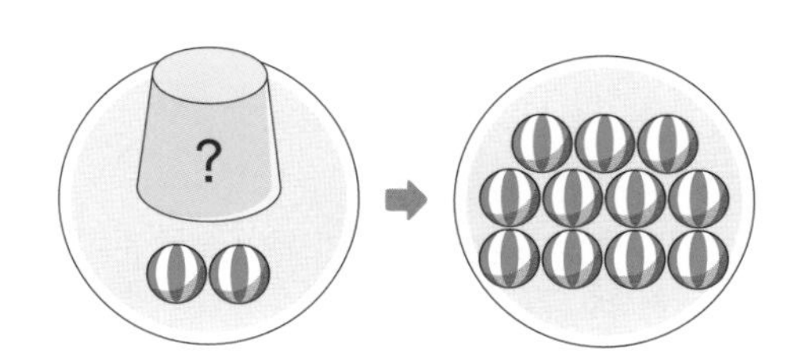

☐개

구슬이 모두 14개 있습니다. 상자 안에 있는 구슬은 몇 개일까요?

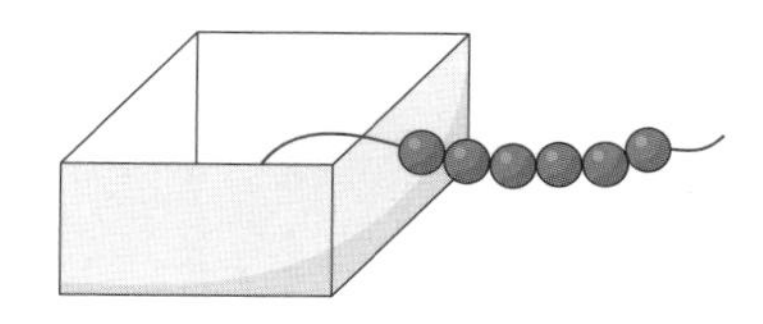

☐개

합의 대소 비교

두 수의 합을 구하고 ◯ 안에 > 또는 <를 넣어 봅시다.

$7+6=$ 13

$7+6$ (>) 12

$7+6$ (<) 14

◯가 □보다 큰 수이면 ◯>□, ◯가 □보다 작은 수이면 ◯<□

$8+7=$ □

$8+7$ ◯ 14

$8+7$ ◯ 16

$9+3=$ □

$9+3$ ◯ 13

$9+3$ ◯ 11

$6+8=$ □

$6+8$ ◯ 12

$6+8$ ◯ 15

$4+8=$ □

$4+8$ ◯ 14

$4+8$ ◯ 15

$9+8=$ □

$9+8$ ◯ 16

$9+8$ ◯ 13

$7+9=$ □

$7+9$ ◯ 18

$7+9$ ◯ 14

$8+4$ (<) 13

$9+5$ (=) 14

$6+8$ ◯ 13

$9+6$ ◯ 14

$4+7$ ◯ 17

$9+3$ ◯ 12

$7+7$ ◯ 14

$8+9$ ◯ 16

$6+7$ ◯ 15

$3+9$ ◯ $6+6$

$8+4$ ◯ $7+6$

$8+5$ ◯ $4+7$

$8+8$ ◯ $9+7$

$5+8$ ◯ $9+2$

$7+4$ ◯ $5+9$

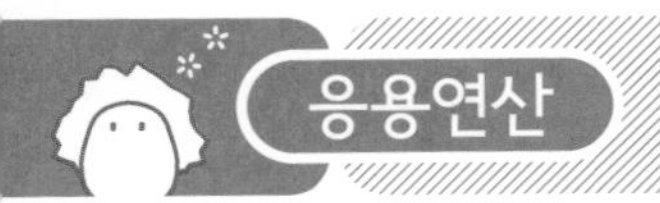

1 계산 결과에 맞게 길을 그리세요.

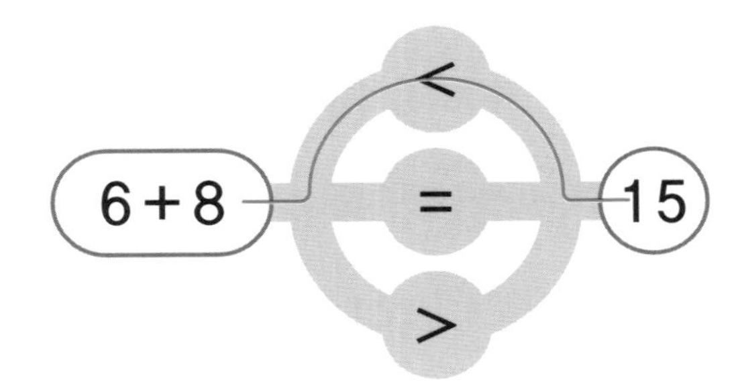

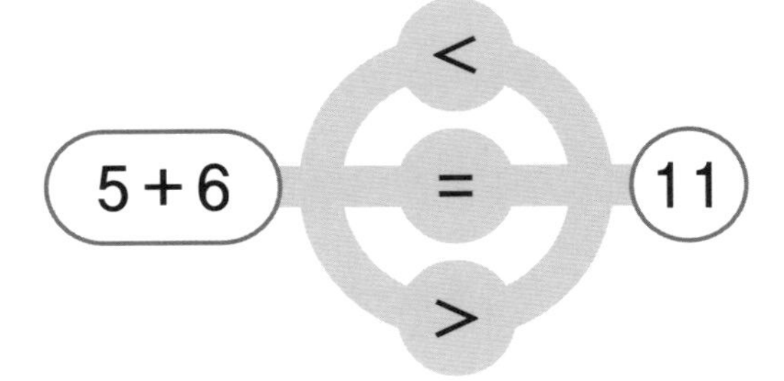

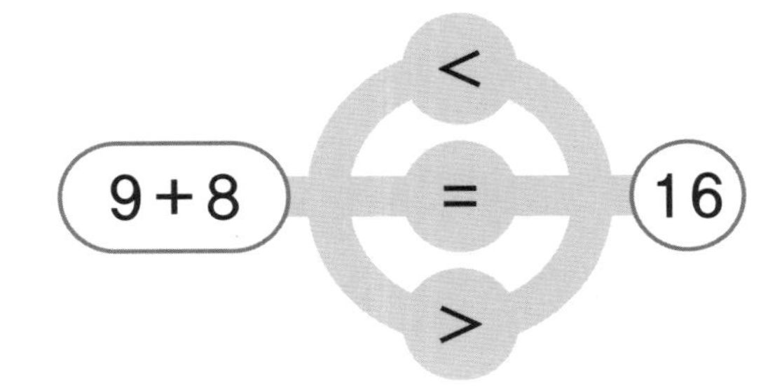

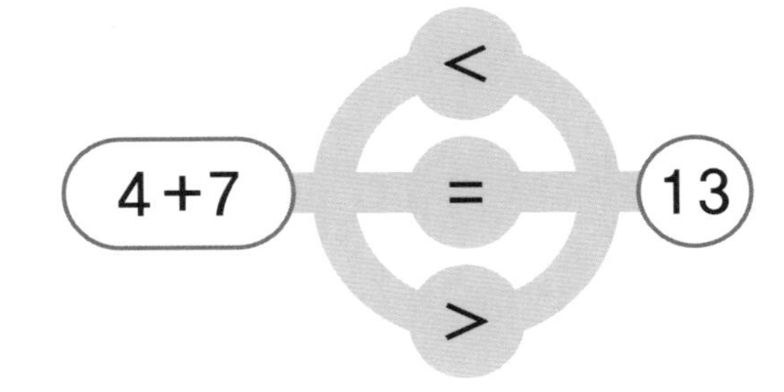

2 1부터 9까지의 수 중 □ 안에 들어갈 수 있는 수를 모두 쓰세요.

$7+\square>12$

6, 7, 8, 9

$\square+8<14$

$\square+9>16$

$5+\square<11$

3 가장 작은 수에 ○표, 가장 큰 수에 △표 하고, 두 수의 합을 구하세요.

4	7	5	9

합: □

3	7	5	8

합: □

4 □ 안에 들어갈 수 있는 수 중 조건에 맞는 수를 빈칸에 모두 쓰세요.

$8+\square<15$ …… □ 안에 들어갈 수 있는 수 중 가장 큰 수 ……

$\square+9>12$ …… □ 안에 들어갈 수 있는 수 중 가장 작은 수 ……

$6+\square<13$

$\square+8>12$ …… □ 안에 공통으로 들어갈 수 있는 수 ……

5 소연이는 책을 지난주에 8권, 이번 주에 4권 읽었고, 승호는 지난주에 6권, 이번 주에 7권 읽었습니다. 소연이와 승호 중 책을 더 많이 읽은 사람은 누구일까요?

5일

형성평가

1 관계있는 것끼리 선으로 이으세요.

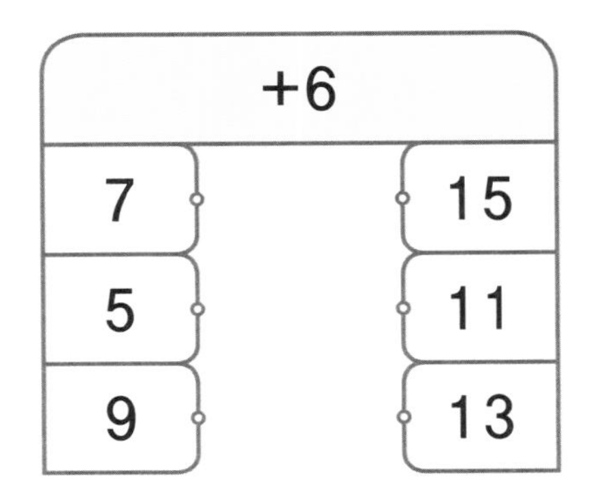

+4	
6	11
7	10
8	12

2 같은 모양에 있는 수의 합을 구하세요.

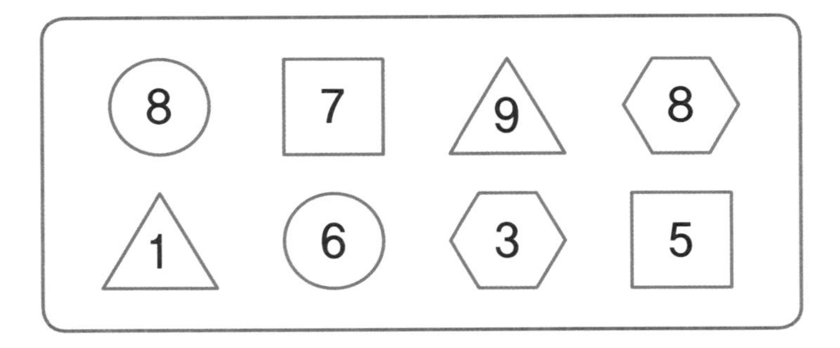

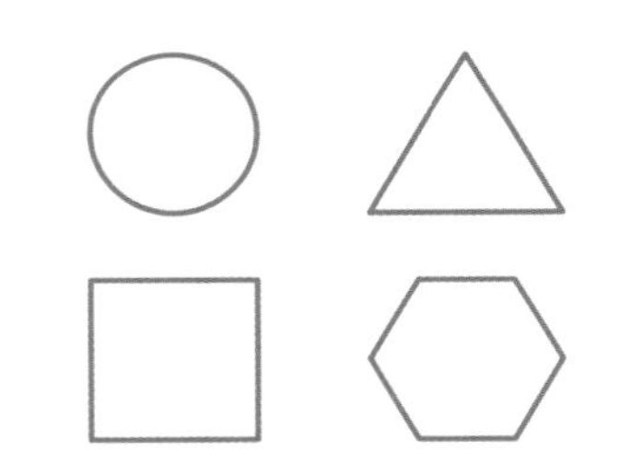

3 빈칸에 알맞은 수를 쓰세요.

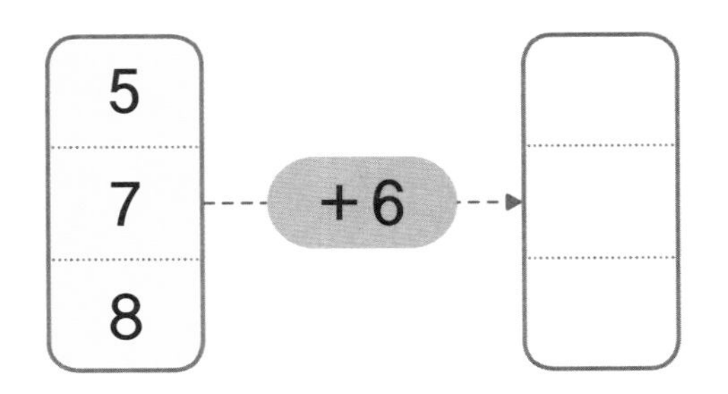

9
6
7
+4

4 숫자 카드를 한 번씩 모두 사용하여 두 가지 방법으로 덧셈식을 완성하세요.

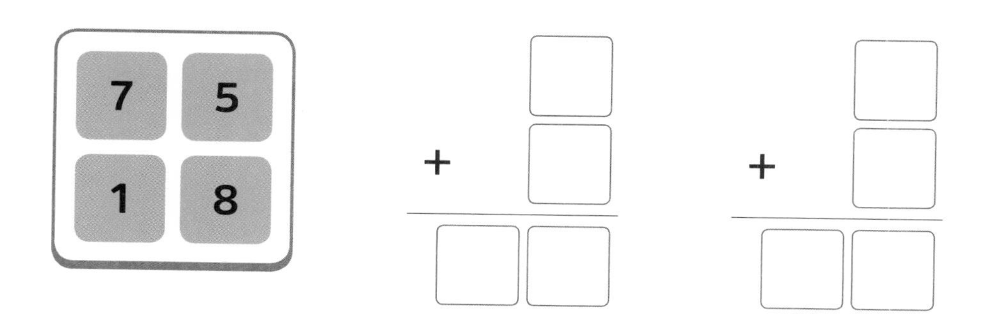

5 아래 두 수의 합은 위의 수가 됩니다. 빈칸에 알맞은 수를 쓰세요.

6 구슬이 모두 12개 있습니다. 상자 안에 있는 구슬은 몇 개일까요?

7 계산 결과에 맞게 길을 그으세요.

8 가장 작은 수에 ○표, 가장 큰 수에 △표 하고, 두 수의 합을 구하세요.

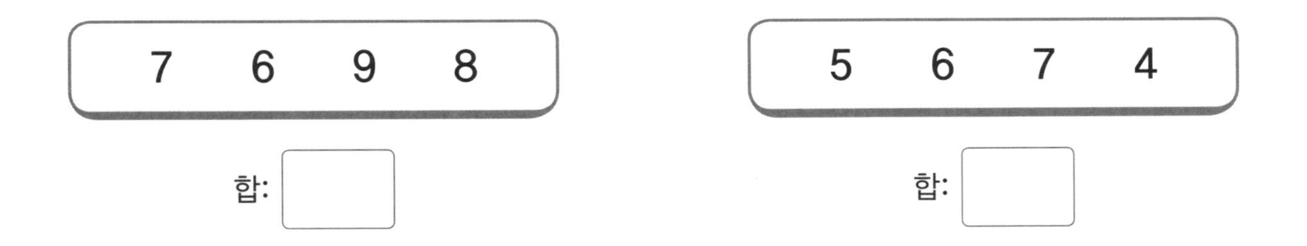

9 수정이는 딸기를 어제는 9개, 오늘은 4개 먹었습니다. 재승이는 딸기를 어제는 6개, 오늘은 8개 먹었습니다. 수정이와 재승이 중 딸기를 더 많이 먹은 사람은 누구일까요?

3주차

덧셈 활용하기

받아올림이 있는 한 자리 수 덧셈의 활용

합이 같은 두 수

1부터 9까지의 수를 사용하여 합이 같은 덧셈식을 알아봅시다.

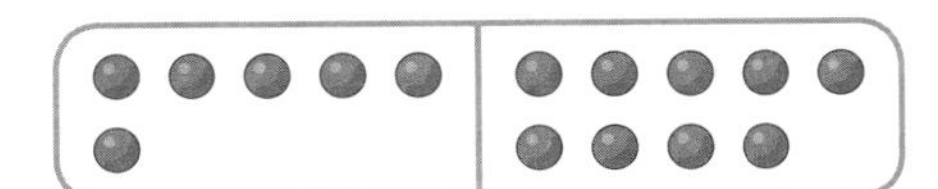

[6] + [9] = 15

[7] + [8] = 15

[8] + [7] = 15

[9] + [6] = 15

[ ] + [ ] = 13

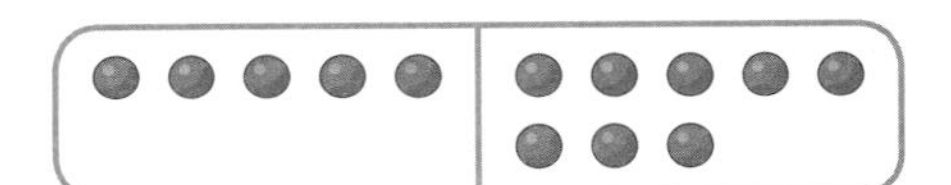

[ ] + [ ] = 13

[ ] + [ ] = 13

[ ] + [ ] = 13

[ ] + [ ] = 13

[ ] + [ ] = 13

두 수의 합이 16

7 + 9 = 16

☐ + ☐ = 16

☐ + ☐ = 16

1부터 9까지의 수를 사용하여 서로 다른 덧셈식을 완성하세요.

두 수의 합이 12

☐ + ☐ = 12

☐ + ☐ = 12

☐ + ☐ = 12

☐ + ☐ = 12

☐ + ☐ = 12

☐ + ☐ = 12

☐ + ☐ = 12

두 수의 합이 11

☐ + ☐ = 11

☐ + ☐ = 11

☐ + ☐ = 11

☐ + ☐ = 11

☐ + ☐ = 11

☐ + ☐ = 11

☐ + ☐ = 11

☐ + ☐ = 11

1 ☆ 안의 수가 합이 되는 두 수를 모두 찾아 선으로 이으세요.

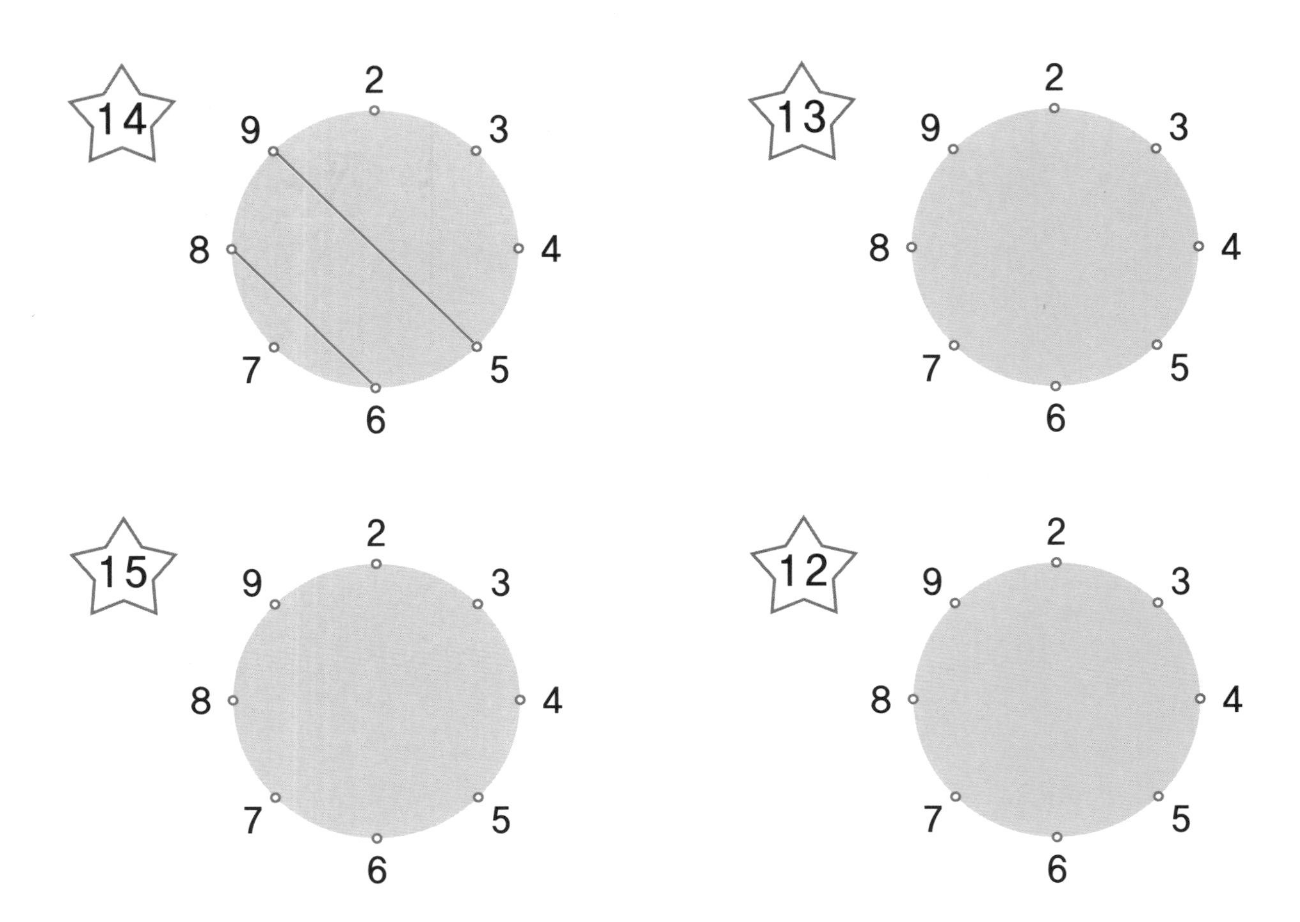

2 가로, 세로, 대각선 방향으로 ✹ 안의 수가 합이 되는 이웃한 두 수를 모두 묶으세요. (세 가지 방법이 있습니다.)

3	8	1
6	2	9
7	7	5

5	1	3
2	8	6
9	4	7

3 ◯ 안의 수가 합이 되도록 숫자 카드를 2장씩 짝지었습니다. 남는 숫자 카드에 ×표 하세요.

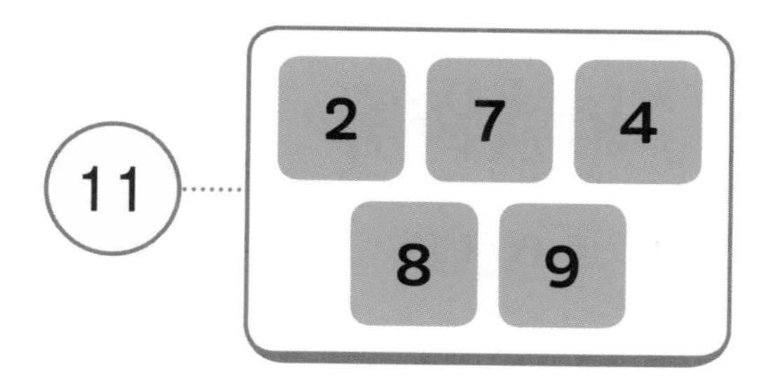

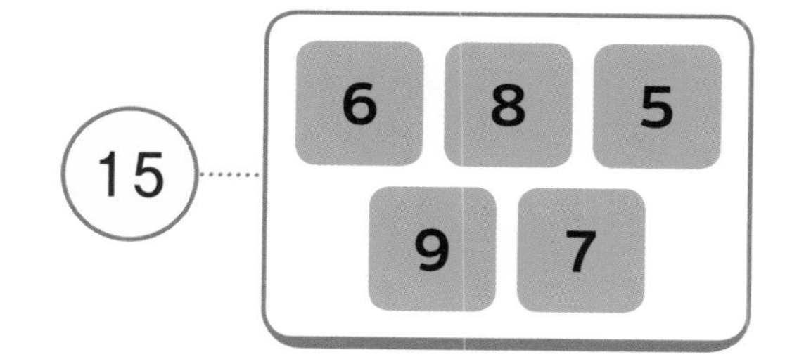

4 합이 11이 되는 두 수를 곧은 선으로 모두 이으세요.

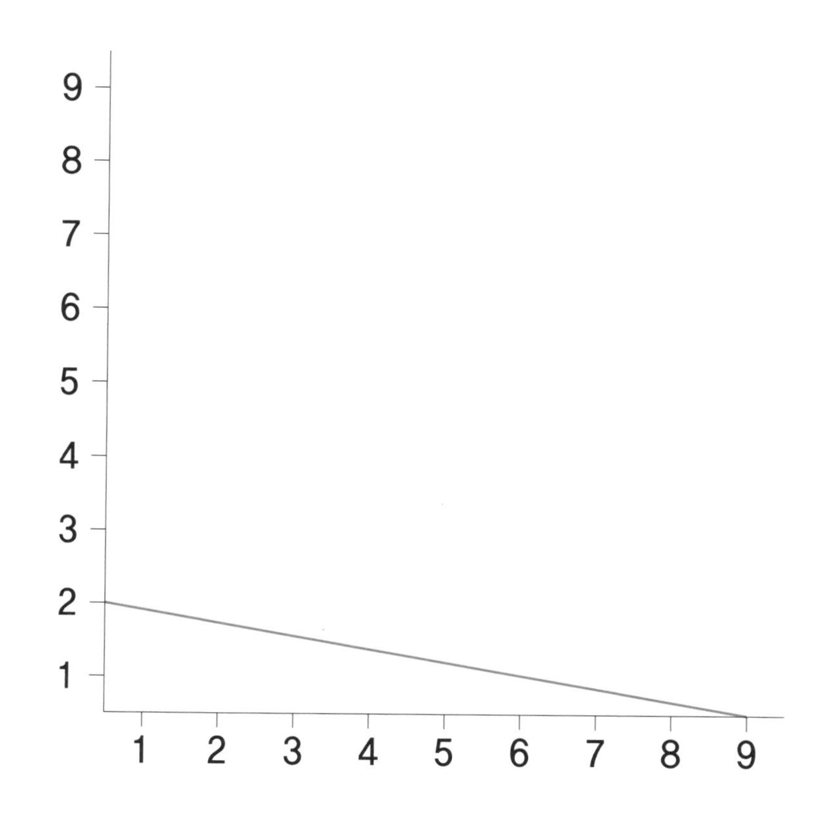

목표수 만들기

주머니에서 수 2개를 뽑아 여러 가지 덧셈식을 만들어 봅시다.

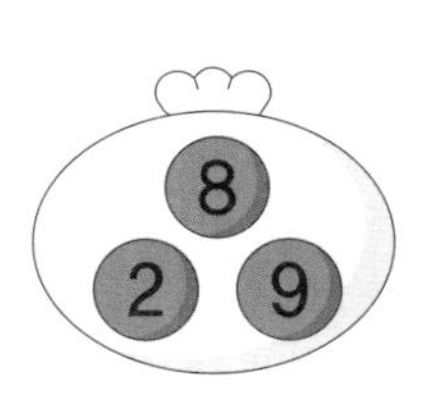

[2] + [8] = 10

[2] + [9] = 11

[8] + [9] = 17

세 수 2, 8, 9 중 합이 10이 되는 두 수는 2와 8입니다.

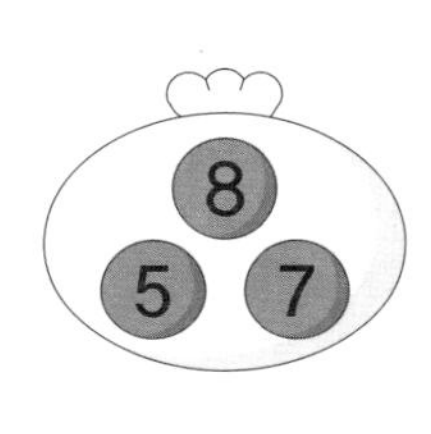

[ ] + [ ] = 13

[ ] + [ ] = 12

[ ] + [ ] = 15

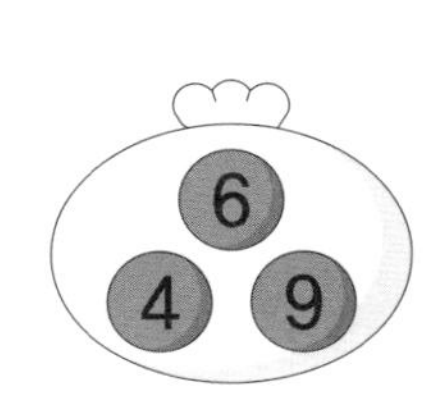

[ ] + [ ] = 10

[ ] + [ ] = 15

[ ] + [ ] = 13

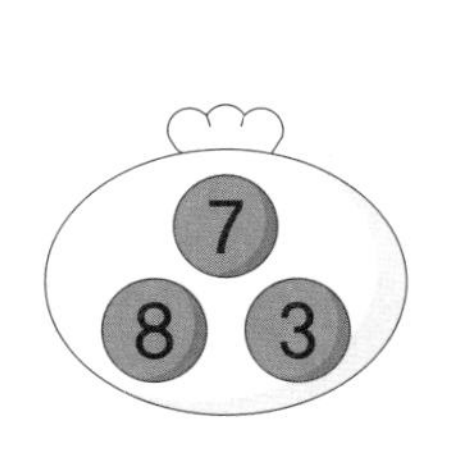

[ ] + [ ] = 15

[ ] + [ ] = 10

[ ] + [ ] = 11

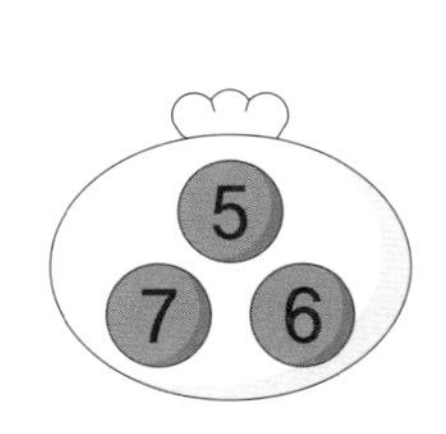

[ ] + [ ] = 11

[ ] + [ ] = 13

[ ] + [ ] = 12

5	7	8	3

5 + 7 = 12　　7 + 8 = 15

□ + □ = 10　　□ + □ = 13

9	3	7	8

□ + □ = 10　　□ + □ = 17

□ + □ = 12　　□ + □ = 11

4	7	8	6

□ + □ = 13　　□ + □ = 14

□ + □ = 10　　□ + □ = 12

□ + □ = 11　　□ + □ = 15

9	5	7	8

□ + □ = 12　　□ + □ = 16

□ + □ = 13　　□ + □ = 17

□ + □ = 15　　□ + □ = 14

1 상자 안의 두 수를 뽑아 합을 구할 때, 합이 되지 않는 수에 ╳표 하세요.

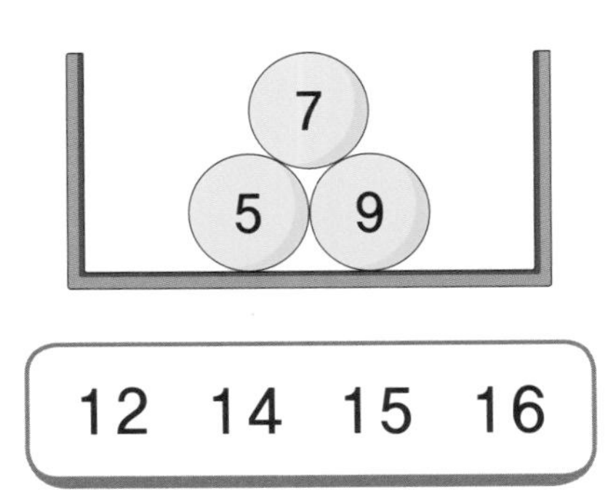

12 14 15 16

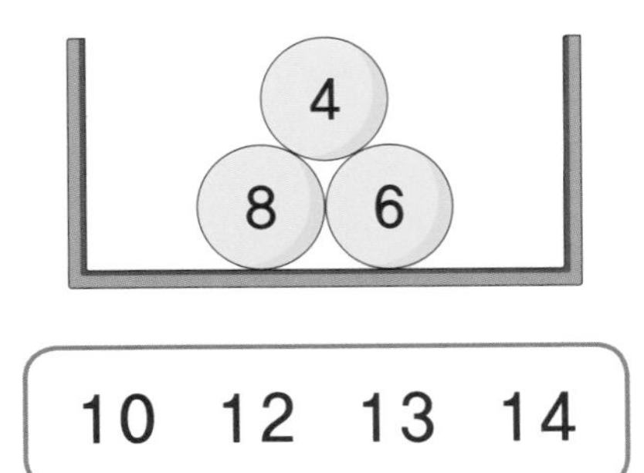

10 12 13 14

2 가로, 세로로 놓인 두 수의 합이 □ 안의 수가 되도록 필요 없는 수에 ╳표 하고, 빈칸에 알맞은 수를 쓰세요.

12	14	13	
4	~~2~~	7	11
~~1~~	9	6	15
8	5	~~3~~	13

	11	15	
4	2	7	11
5	6	8	14
9	5	3	

	11	12	
8	4	3	
7	6	5	13
2	5	9	14

	10	17	
8	6	9	
5	4	8	13
7	4	3	11

3 각 주머니에서 수를 하나씩 골라 덧셈식을 만드세요.

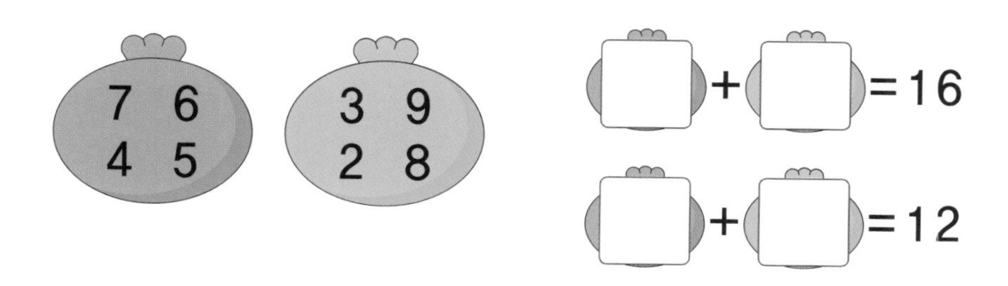

4 주머니에 수가 적힌 공이 4개 있습니다. 물음에 답하세요.

유미가 주머니에서 꺼낸 공 2개에 적힌 수의 합이 11입니다. 공 2개에 적힌 수를 모두 쓰세요.

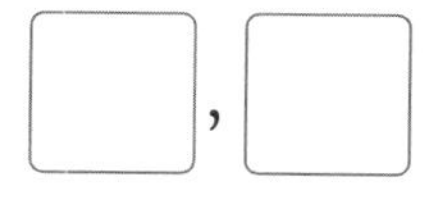

철호가 주머니에서 나머지 공 2개를 꺼냈습니다. 철호가 꺼낸 공에 적힌 수의 합은 얼마일까요?

□ 찾고 덧셈하기

◯ 안에 알맞은 수를 찾고 덧셈을 하여 빈칸을 채워 봅시다.

+ (6)

5	11
8	14
6	12

← 8+6

← 6+6

5+◯=11이므로
더하는 수는 6입니다.

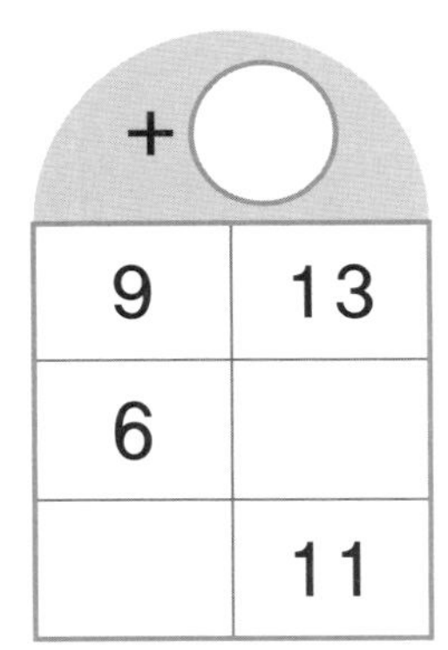

+ ◯

9	13
6	
	11

+ ◯

7	
9	14
	13

+ ◯

	16
6	
7	14

+ ◯

	12
6	
5	13

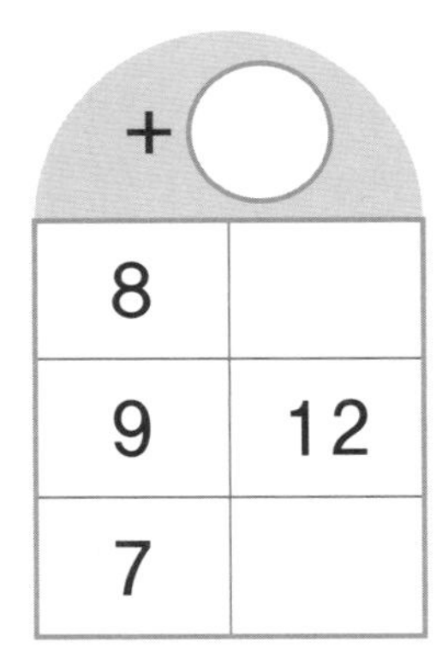

+ ◯

8	
9	12
7	

+ ◯

2	11
	17
6	

+	9	7	8
3	12	10	11

+		5	8
	13	11	

+		8	5
	12		13

+	6	9	
		14	12

+	4
8	12
6	10
9	13

+	
9	
	11
7	10

+	
7	
	13
5	14

+	
	11
7	13
8	

+	
8	15
	14
4	

+	
6	11
	12
9	

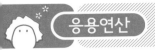

1 ◯안에 알맞은 수를 쓰고 관계있는 것끼리 선으로 이으세요.

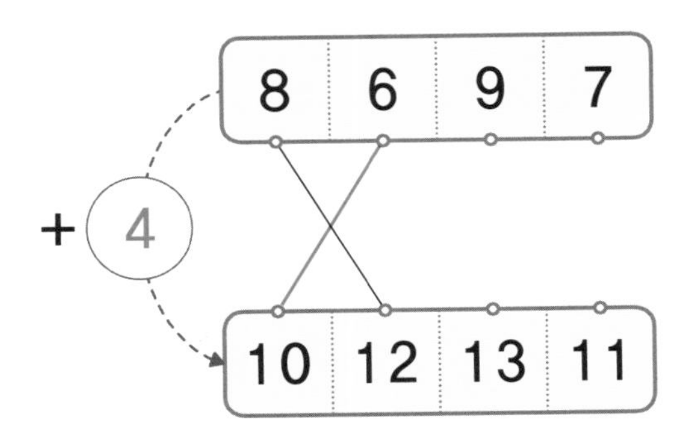

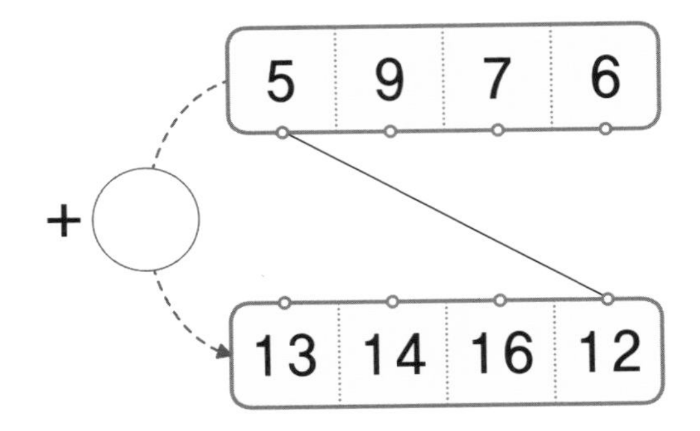

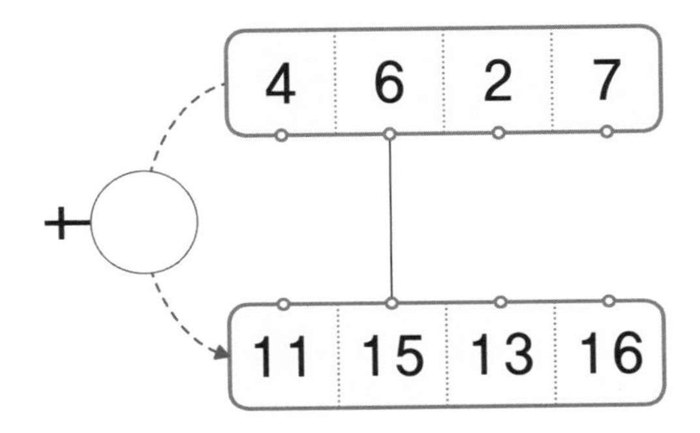

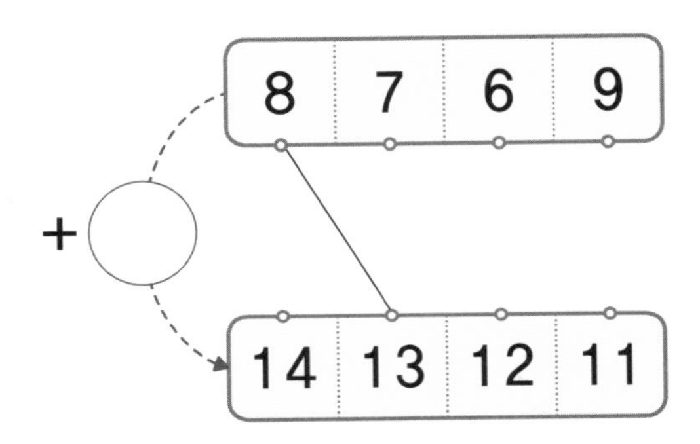

2 ◯안의 수와 바깥쪽 수의 합을 □ 안에 쓴 것입니다. 빈 곳에 알맞은 수를 쓰세요.

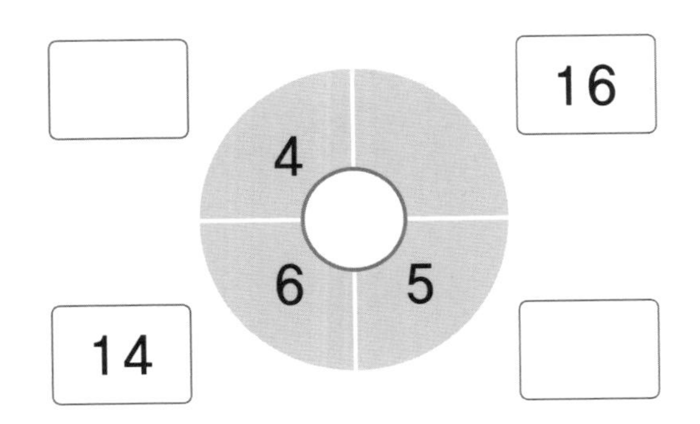

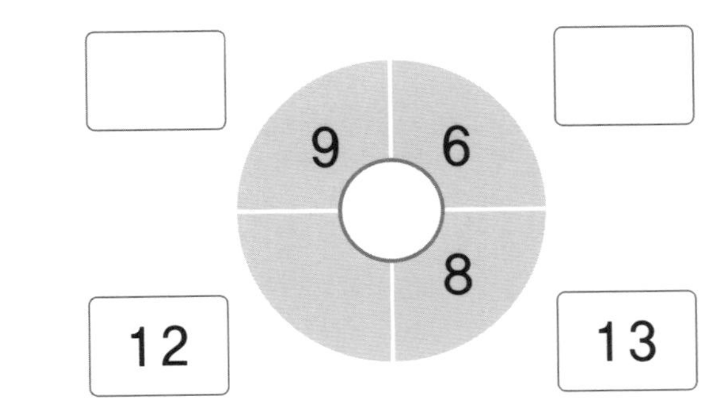

3 같은 모양은 같은 수, 다른 모양은 다른 수를 나타냅니다. ★은 얼마일까요?

5 + ◆ = 13　　★ + ◆ = 15

★ = □

4 규칙을 찾아 빈칸에 알맞은 수를 쓰세요.

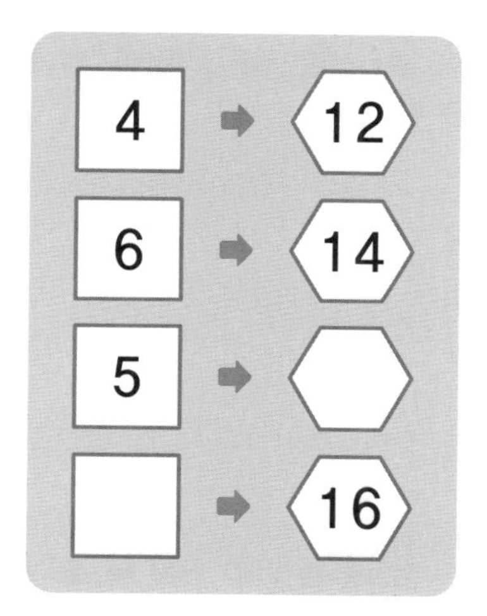

7	➡	12
	➡	11
9	➡	14
5	➡	

5 가로, 세로로 두 수의 합에 맞게 상자 안의 수를 빈칸에 쓰세요.

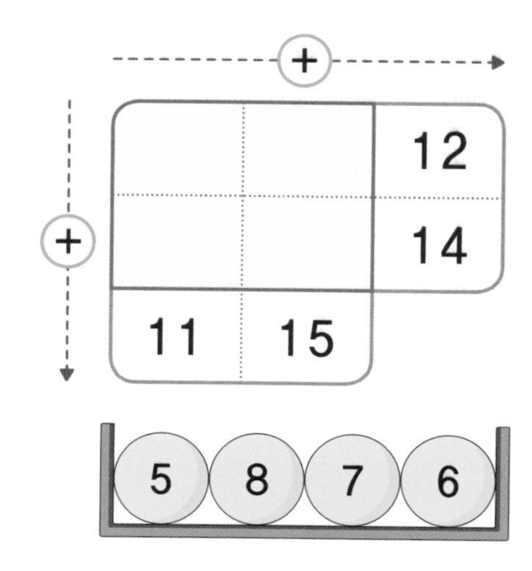

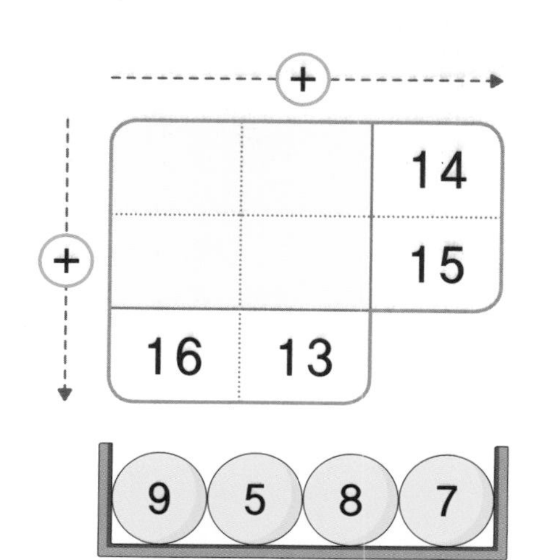

어떤 수 구하기

개념 원리

안에 들어갈 구슬의 수를 □라 하여 식을 세우고 □의 값을 구해 봅시다.

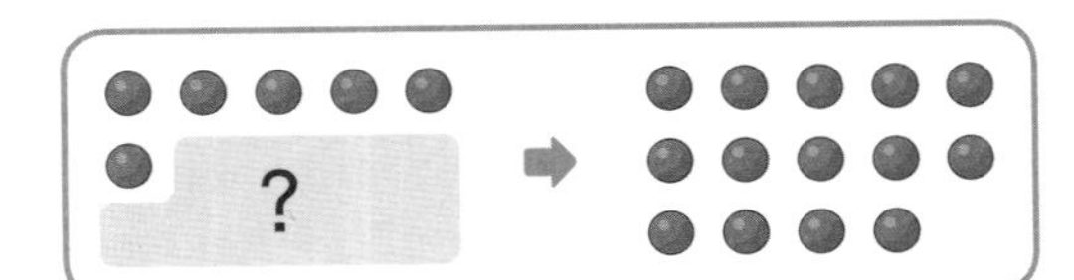

식 6+□=14

□= 8

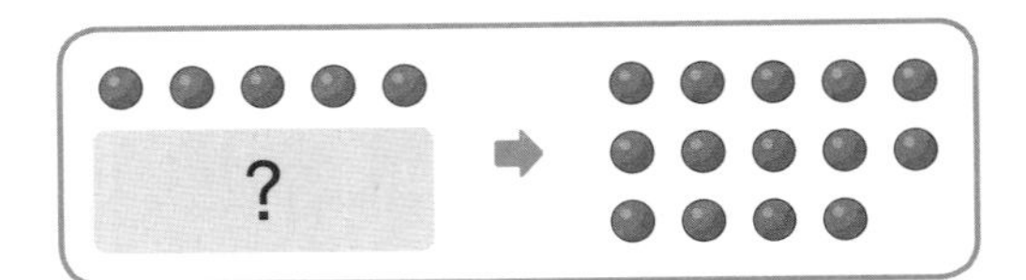

식

□=

식

□=

식

□=

식

□=

식

□=

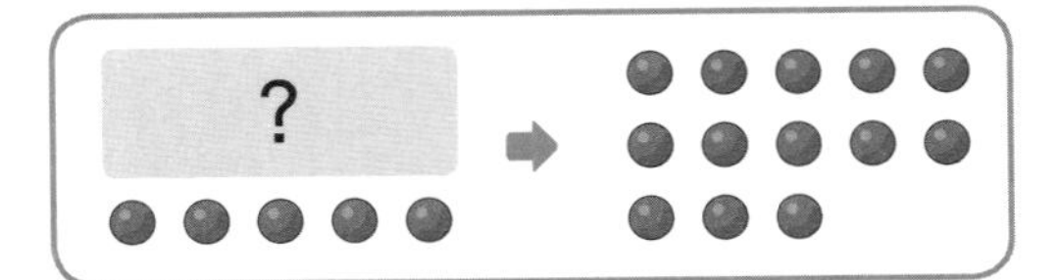

식

□=

어떤 수에 3을 더하였더니 11이 되었습니다. ➡ □+3=11

□ +3 =11

5와 어떤 수의 합은 14입니다. ➡

5 +□ =14

어떤 수에 6을 더하였더니 13이 되었습니다. ➡

□ +6 =13

8과 어떤 수의 합은 15입니다. ➡

8 +□ =15

어떤 수에 5를 더하였더니 13이 되었습니다. ➡

7과 어떤 수의 합은 16입니다. ➡

어떤 수에 4를 더하였더니 12가 되었습니다. ➡

9와 어떤 수의 합은 17입니다. ➡

1 관계있는 것끼리 선으로 이으세요.

4에 어떤 수를 더하면 12입니다.	□+5=14	□=7
어떤 수 더하기 6은 13입니다.	4+8=12	□=9
어떤 수와 5의 합은 14입니다.	□+6=13	□=8

어떤 수와 2의 합은 11입니다.	□+8=13	□=6
9에 어떤 수를 더하면 15입니다.	□+2=11	□=9
어떤 수 더하기 8은 13입니다.	9+□=15	□=5

어떤 수 더하기 5는 11입니다.	□+5=11	□=7
어떤 수와 8의 합은 12입니다.	6+□=13	□=4
6에 어떤 수를 더하면 13입니다.	□+8=12	□=6

2 그림을 보고 물음에 답하세요.

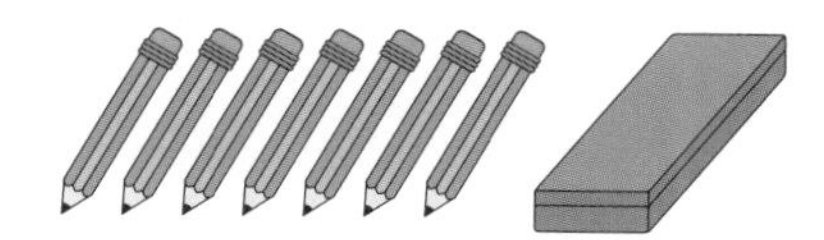

연필이 모두 12자루 있습니다. 필통 안에 있는 연필은 몇 자루일까요?

_______ 자루

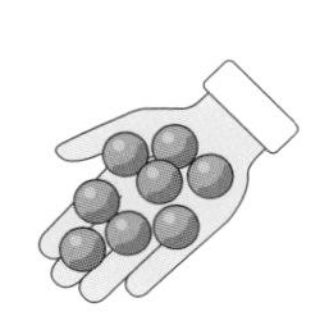

주머니에 있는 구슬과 손에 있는 구슬은 모두 16개입니다. 주머니에 있는 구슬은 몇 개일까요?

_______ 개

3 물음에 맞게 □를 사용한 식을 세우고 답을 구하세요.

어떤 수와 7의 합은 10보다 3 큽니다. 어떤 수는 얼마일까요?

식 _______________ 답 _______

흰색 바둑돌 6개와 검은색 바둑돌 몇 개를 모으면 11개가 됩니다. 검은색 바둑돌은 몇 개일까요?

식 _______________ 답 _______ 개

형성평가

1 가로, 세로, 대각선 방향으로  안의 수가 합이 되는 이웃한 두 수를 모두 묶으세요. (세 가지 방법이 있습니다.)

12

2	3	6
9	1	7
4	8	5

14

8	6	2
9	7	3
5	4	7

2 ◯ 안의 수가 합이 되도록 숫자 카드를 2장씩 짝지었습니다. 남는 숫자 카드에 ×표 하세요.

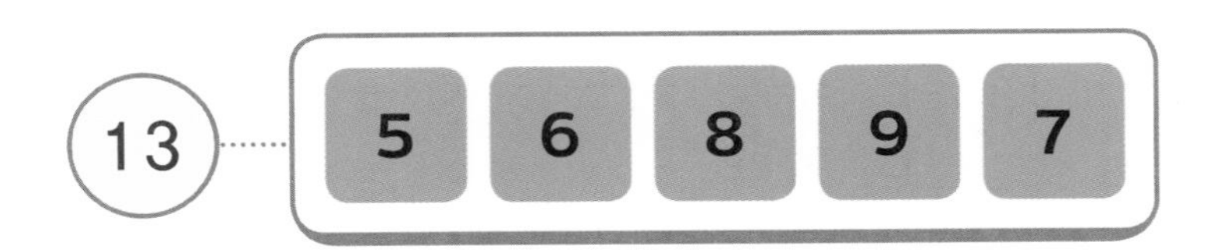

3 상자 안의 두 수를 뽑아 합을 구할 때, 합이 되지 않는 수에 ×표 하세요.

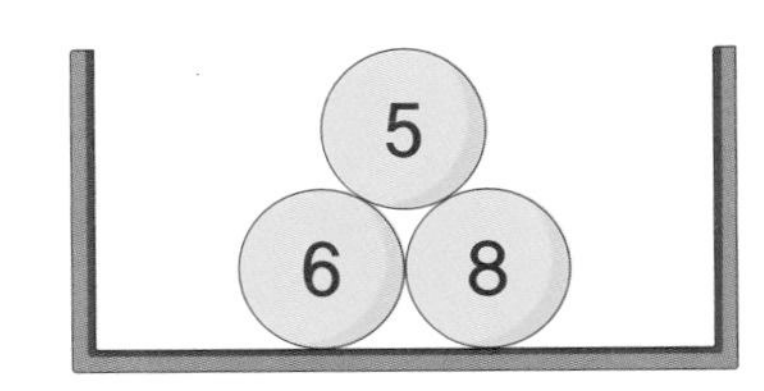

11 12 13 14

4 가로, 세로로 놓인 두 수의 합이 □ 안의 수가 되도록 필요 없는 수에 ×표 하고, 빈칸에 알맞은 수를 쓰세요.

		13	
7	5	3	
6	4	5	11
2	9	8	17

5 같은 모양은 같은 수, 다른 모양은 다른 수를 나타냅니다. ◐은 얼마일까요?

▲ + 7 = 14　　◐ + ▲ = 16

◐ = □

6 ○ 안에 알맞은 수를 쓰고 관계있는 것끼리 선으로 이으세요.

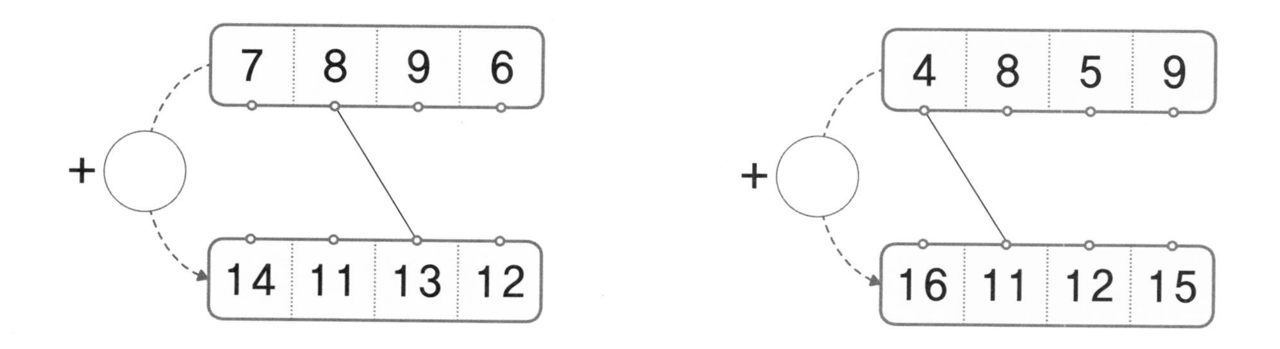

7 가로, 세로로 두 수의 합에 맞게 상자 안의 수를 빈칸에 쓰세요.

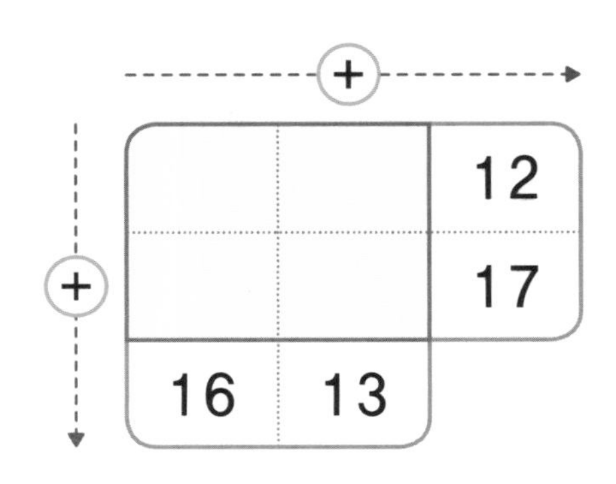

8 관계있는 것끼리 선으로 이으세요.

어떤 수와 9의 합은 14입니다.	□+8=11	□=5
5에 어떤 수를 더하면 12입니다.	5+□=12	□=3
어떤 수 더하기 8은 11입니다.	□+9=14	□=7

9 신발장에 구두 4켤레와 운동화 몇 켤레가 있습니다. 신발이 모두 12켤레라면 운동화는 몇 켤레일까요? □를 사용한 식을 세우고 답을 구하세요.

식 ____________________ 

__________ 켤레

세 수의 덧셈

받아올림이 있는 한 자리 세 수의 덧셈

1일

141

세 수의 합

세 수의 합을 구해 봅시다.

세 수의 합을 구할 때는 순서에 상관없이 두 수를 더한 다음 나머지 한 수를 더합니다.

$5+6+3=$ [11] $+3=$ [14]

$5+6+3=$ [8] $+6=$ [14]

$5+6+3=5+$ [9] $=$ [14]

$3+5+4=$ [ ] $+4$

$=$ [ ]

$7+2+6=$ [ ] $+6$

$=$ [ ]

$6+7+3=$ [ ] $+7$

$=$ [ ]

$4+8+4=$ [ ] $+8$

$=$ [ ]

$7+1+5=7+$ [ ]

$=$ [ ]

$9+5+3=9+$ [ ]

$=$ [ ]

$2 + 6 + 3 = \square$

$2 + 9 + 7 = \square$

$8 + 1 + 6 = \square$

$7 + 4 + 2 = \square$

$4 + 8 + 7 = \square$

$6 + 7 + 1 = \square$

$3 + 5 + 4 = \square$

$4 + 3 + 3 = \square$

$5 + 7 + 4 = \square$

$4 + 2 + 5 = \square$

$9 + 4 + 5 = \square$

$8 + 6 + 2 = \square$

$3 + 6 + 3 = \square$

$7 + 9 + 3 = \square$

1 계산 결과에 맞게 길을 그리세요.

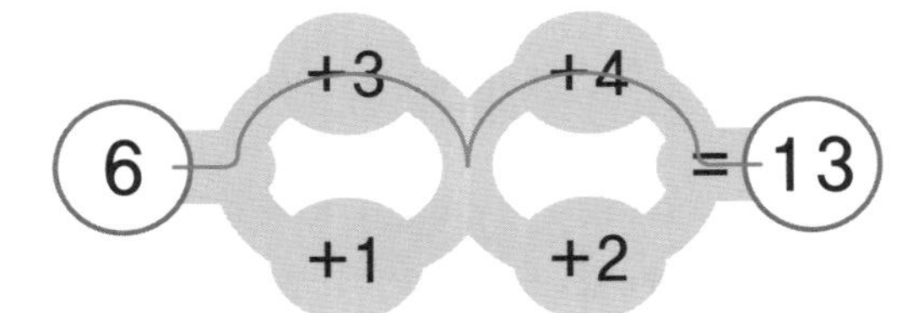

+7 +8
2 = 16
+6 +5

+6 +5
4 = 18
+7 +8

+4 +6
7 = 15
+3 +5

+7 +9
3 = 18
+6 +5

+2 +4
5 = 14
+5 +3

2 사다리를 타고 내려가는 길의 계산에 맞게 빈칸에 알맞은 수를 쓰세요.

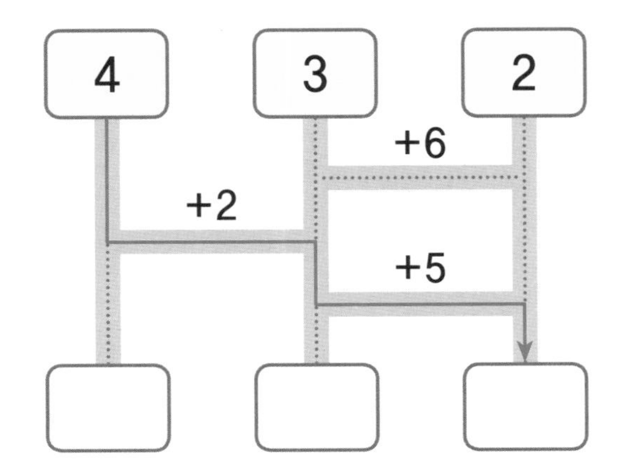

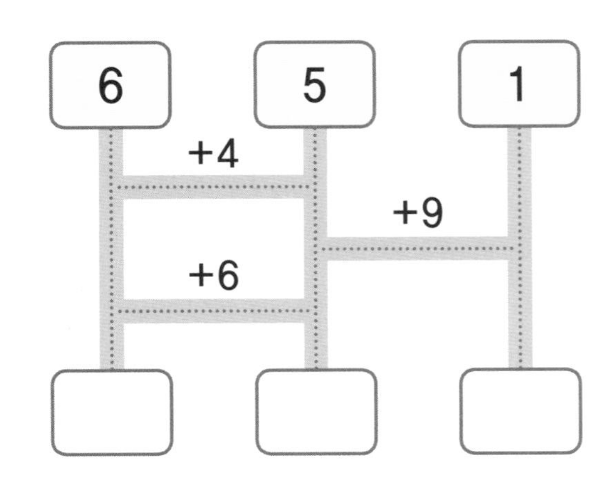

3 약속에 맞게 계산하세요.

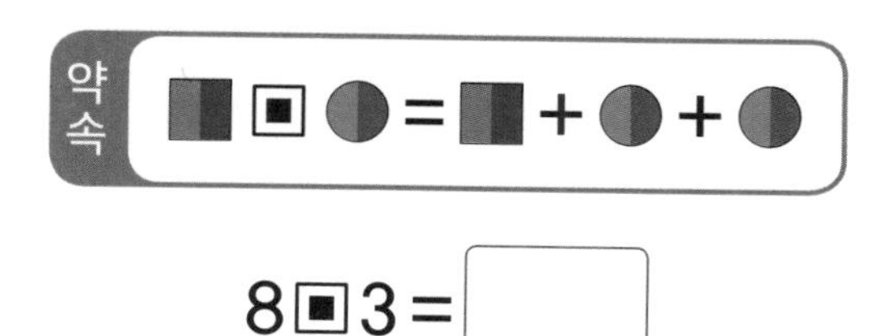

8▣3 = □

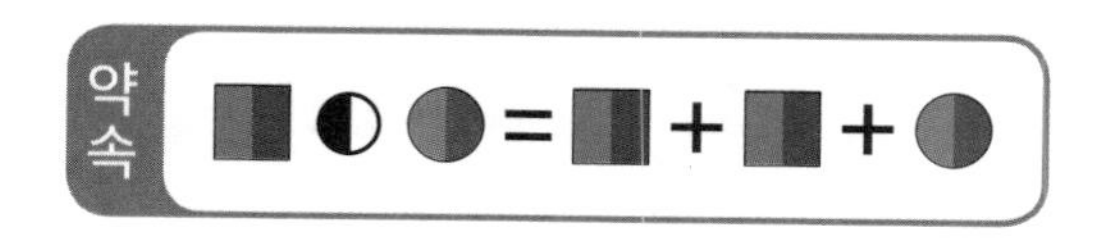

4◐9 = □

4 공원에 참새 6마리, 까치 3마리, 비둘기 8마리가 있습니다. 공원에 있는 새는 모두 몇 마리일까요?

 ____________  ______ 마리

5 하은이는 구슬 5개를 가지고 있고, 수진이는 하은이보다 구슬을 4개 더 가지고 있습니다.
두 사람이 가지고 있는 구슬은 모두 몇 개일까요?

식 ____________ 답 ______ 개

6 승철이네 반 남학생은 7명이고, 여학생은 남학생보다 2명 더 많습니다. 승철이네 반 학생은 모두 몇 명일까요?

식 ____________ 답 ______ 명

2일

142 합이 되는 세 수

숫자 카드 중에서 3장을 뽑아 합에 맞는 세 수를 써 봅시다. □ 안에는 작은 수부터 씁니다.

2 9 3 6

2 + 6 + 9 = 17

2 + 3 + 6 = 11

2 + 3 + 9 = 14

4 1 5 7

□ + □ + □ = 12

□ + □ + □ = 13

□ + □ + □ = 16

8 2 6 4

□ + □ + □ = 14

□ + □ + □ = 18

□ + □ + □ = 12

2 9 4 5

□ + □ + □ = 15

□ + □ + □ = 11

□ + □ + □ = 18

7 1 5 3

□ + □ + □ = 13

□ + □ + □ = 15

□ + □ + □ = 11

$\square + \square + \square = 11$

$\square + \square + \square = 19$

5	6	3	9	4

$\square + \square + \square = 15$

$\square + \square + \square = 19$

7	3	1	6	4

$\square + \square + \square = 13$

$\square + \square + \square = 17$

$\square + \square + \square = 12$

8	5	2	6	4

$\square + \square + \square = 11$

$\square + \square + \square = 13$

$\square + \square + \square = 19$

1 가로, 세로로 놓인 세 수의 합이 안의 수가 되도록 로 묶으세요.

7	5	9
8	4	2
1	6	3

1	5	8
2	6	3
7	4	9

9	8	2
1	3	4
6	5	7

5	6	7
9	3	4
8	1	2

2 미로를 통과하면서 만난 세 수의 합이 안의 수가 되도록 선을 그으세요.

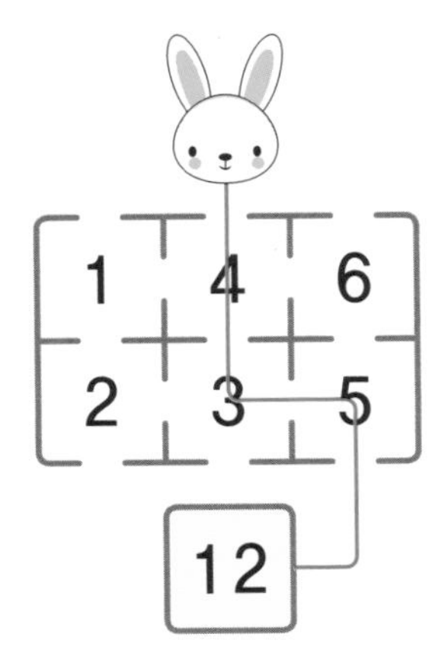

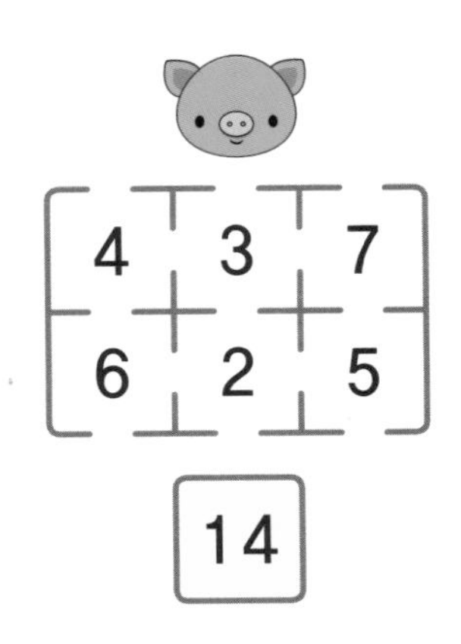

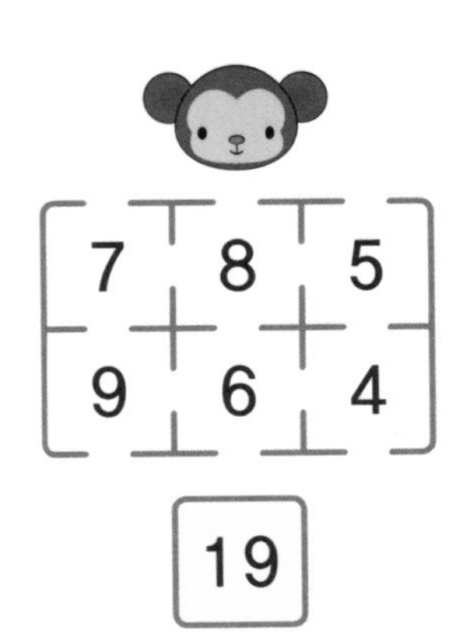

3 아래 두 수를 모으면 위의 수가 되는 규칙으로 수를 넣은 것입니다. 주어진 세 수를 맨 아래 칸에 넣어 수 피라미드를 완성하세요.

1
3
5

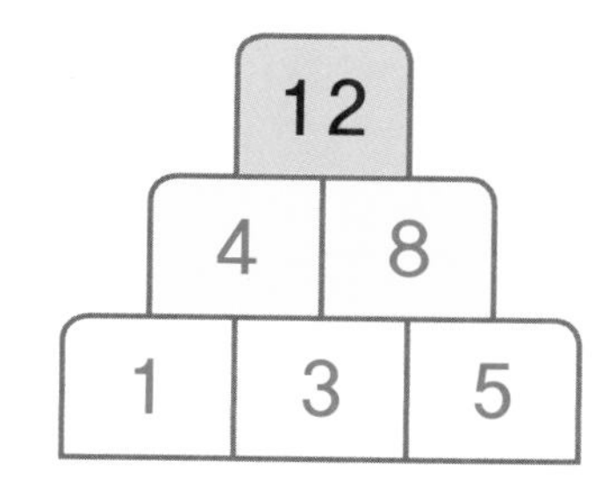

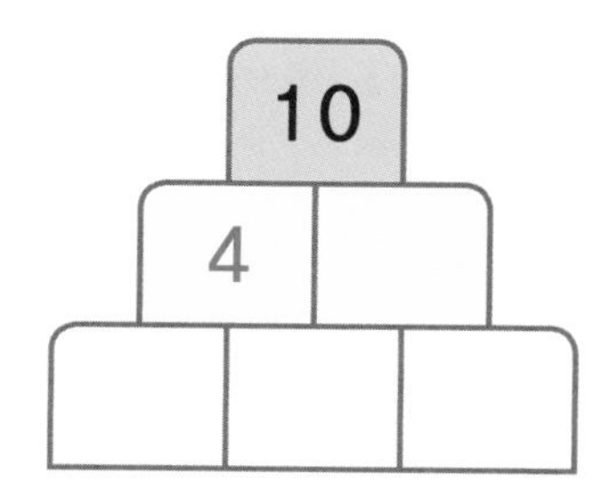

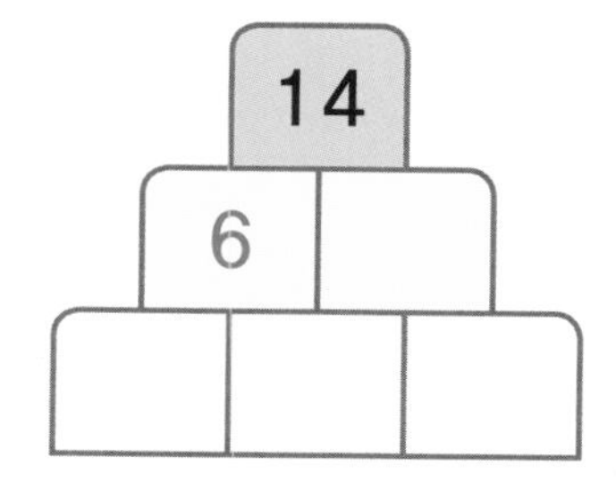

2
3
6

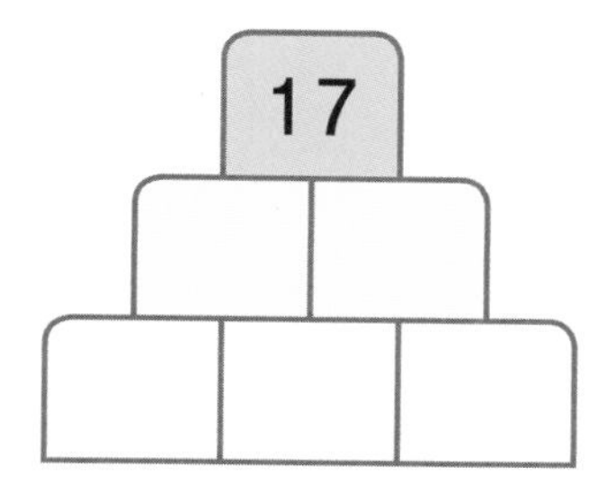

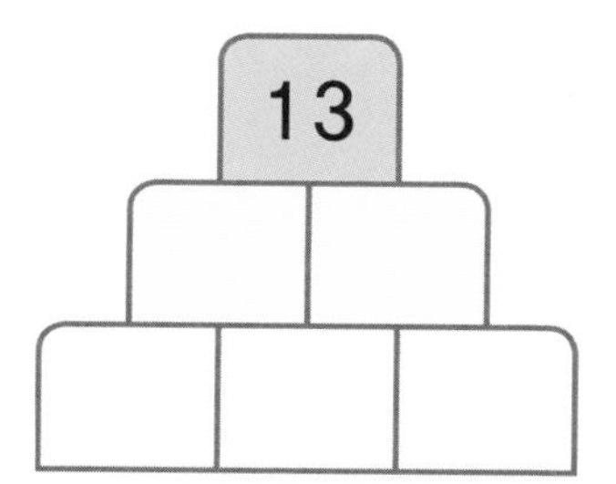

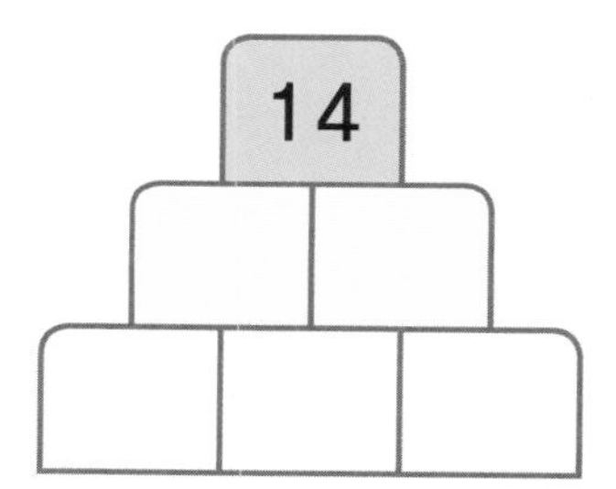

4 승호, 민주, 호성, 완주가 가지고 있는 동화책의 수입니다.

이름	승호	민주	호성	완주
동화책의 수(권)	8	4	6	7

네 사람 중 세 사람이 가져온 동화책을 모았더니 모두 19권입니다. 동화책을 가져오지 않은 사람은 누구일까요?

□가 있는 세 수의 덧셈

수직선을 보고 □ 안에 알맞은 수를 써 봅시다.

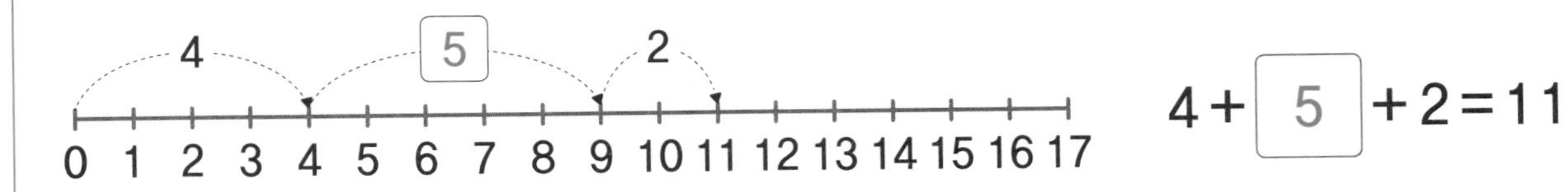

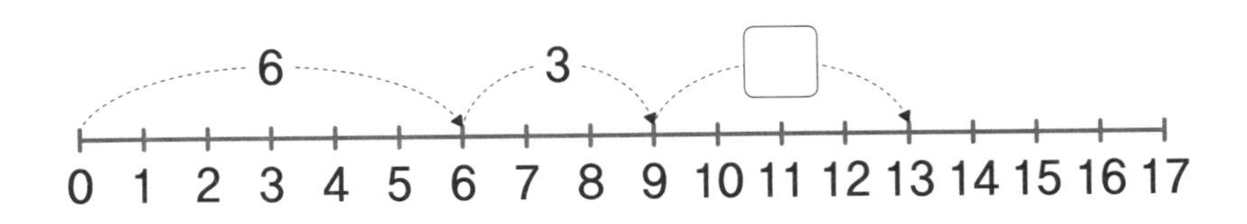

6 + 3 + □ = 13

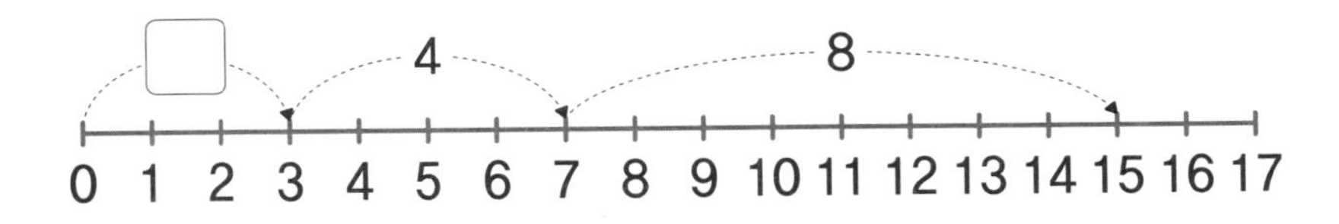

□ + 4 + 8 = 15

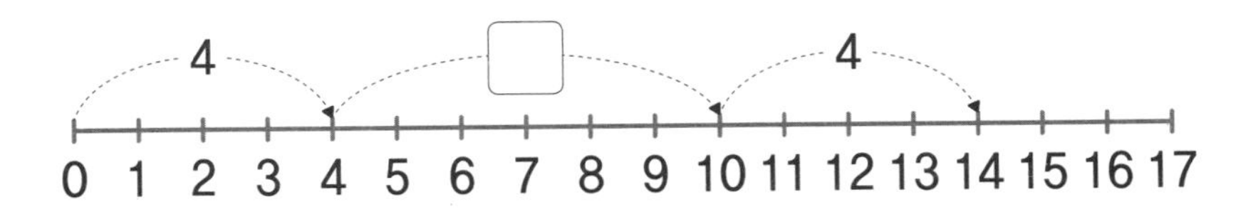

4 + □ + 4 = 14

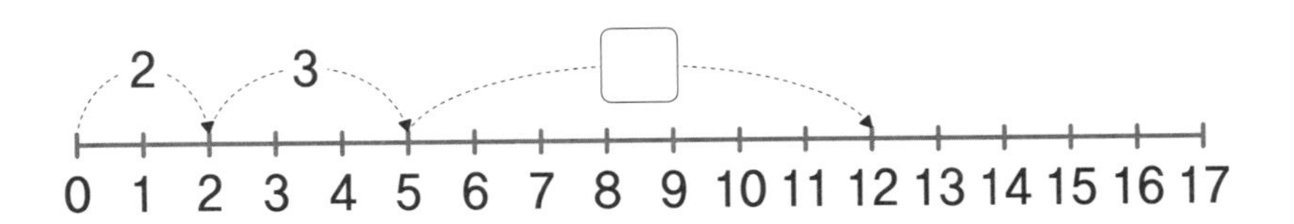

2 + 3 + □ = 12

$5+3+\square=17$

$\square+3+6=14$

$5+\square+3=12$

$4+\square+9=18$

$\square+2+5=13$

$6+7+\square=19$

$7+6+\square=16$

$\square+4+5=11$

$3+\square+7=15$

$3+\square+8=18$

$\square+3+4=11$

$8+2+\square=13$

$4+6+\square=18$

$\square+4+5=16$

1 세 수의 합이 같도록 두 부분으로 나누세요.

8	3	2
3	4	6

4	7	4
5	8	6

6	5	7
5	4	3

1	7	3
5	4	6

1	8	7
9	4	3

1	7	2
3	6	3

2 ◇안의 수는 가로, 세로로 놓인 세 수의 합입니다. 합에 맞게 빈칸에 알맞은 수를 쓰세요.

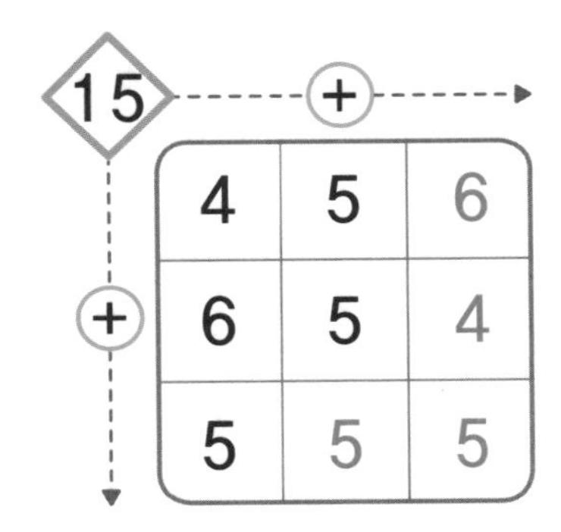

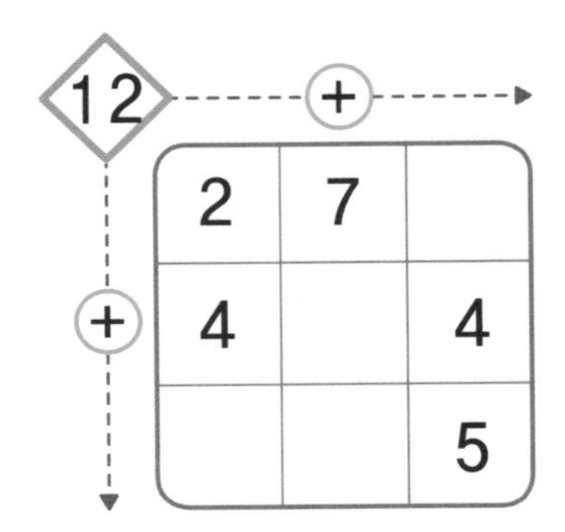

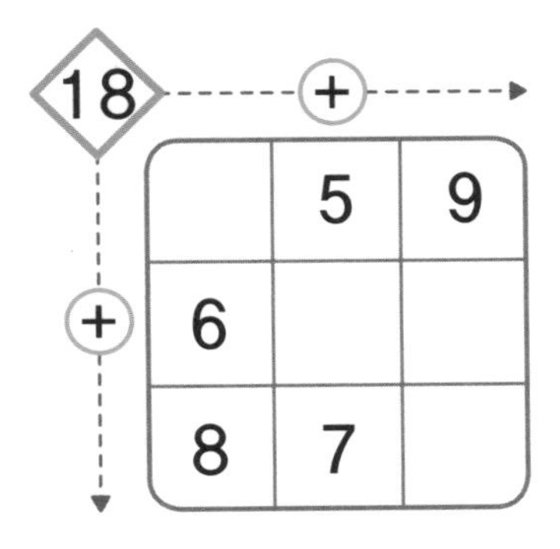

13

		5
3		4
6	3	

3 한 줄에 놓인 세 수의 합이 16이 되도록 빈 곳에 3, 4, 5, 6, 7을 한 번씩 모두 쓰세요.

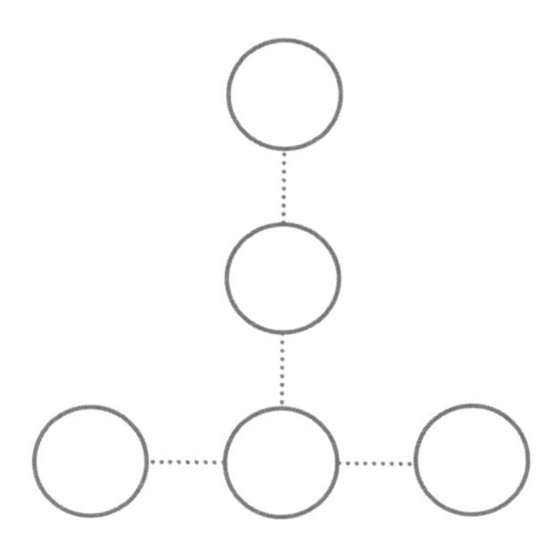

4 **물음에 맞게 □를 사용한 식을 세우고 답을 구하세요.**

7과 어떤 수의 합에 5를 더하니 19가 되었습니다. 어떤 수는 얼마일까요?

식 ______________ 답 ______________

책꽂이에 동화책이 5권, 위인전이 몇 권, 참고서가 7권 있습니다. 책이 모두 16권일 때 위인전은 몇 권 있을까요?

식 ______________ 답 ______________ 권

코끼리 열차에 9명이 타고 있었습니다. 동물원에서 3명이 더 타고, 식물원에서 몇 명이 더 타서 모두 18명이 되었습니다. 식물원에서 코끼리 열차에 탄 사람은 몇 명일까요?

식 ______________ 답 ______________ 명

모양이 나타내는 수의 덧셈

같은 모양에는 같은 숫자, 다른 모양에는 다른 숫자가 들어갑니다. 빈칸을 채워 봅시다.

5 + □(6) = 11
□(6) + ○(8) = 14

5+□=11이므로 □ 안의 수는 6입니다.
6+○=14이므로 ○ 안의 수는 8입니다.

♡ + ♡ = 14
☆ + ♡ = 13

○ + 3 = 11
◇ + ○ = 15

5 + ⬠ = 14
⬠ + ⬡ = 16

△ + △ = 12
⬠ + △ = 14

☆ + 6 = 15
○ + ☆ = 13

8 + ♡ = 13
☆ + ♡ = 11

◇ + ◇ = 18
◇ + ⬠ = 11

△ + 7 = 12
△ + ◇ = 14

4 + 2 = ○6

○6 + 1 + 1 = □8

□8 + 5 = ⬠13

6 + ☆ = 11

3 + ☆ + 4 = ♡

△ + △ = ♡

1 + ○ = 10

2 + △ + 3 = ○

8 + △ = ◇

3 + 1 = ⬠

□ + 1 + ⬠ = 14

⬡ + 6 = □

○ + ○ = ♡

6 + 3 + 7 = ♡

4 + ○ = □

5 + ○ = 13

3 + ○ + 4 = □

7 + ☆ + 2 = □

1 같은 모양은 같은 수, 다른 모양은 다른 수를 나타냅니다. 사각형 밖의 수는 가로, 세로로 놓인 수의 합입니다. ☐ 안에 알맞은 수를 쓰세요.

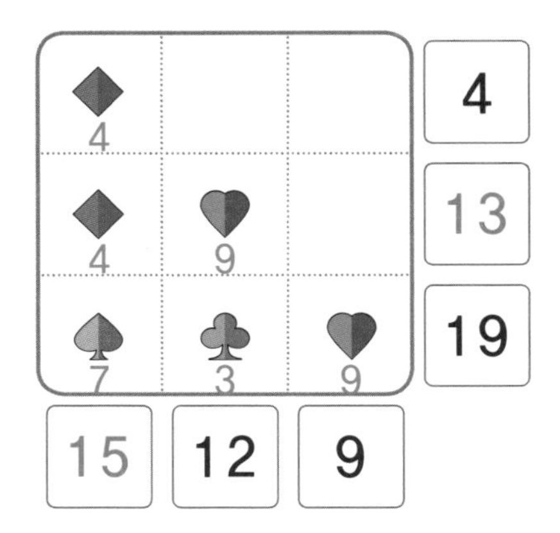

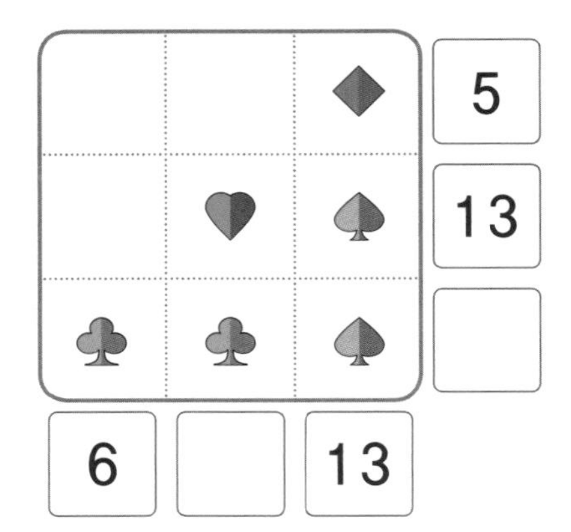

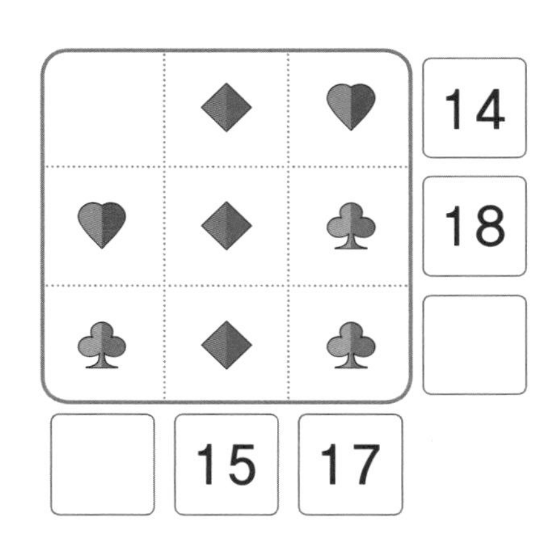

◆	♠	♥	14
♠	♥	♥	☐
◆	♠	♥	14
☐	12	18	

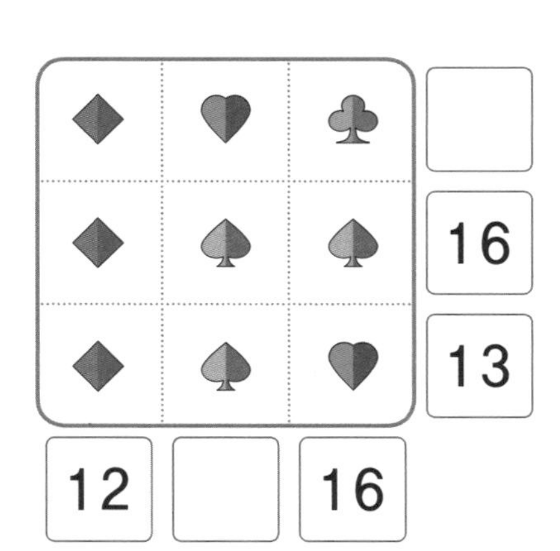

♣	◆	◆	12
♠	◆	♠	☐
♥	♥	♥	15
18	11	☐	

2 같은 모양은 같은 수, 다른 모양은 다른 수를 나타냅니다. □ 안에 알맞은 수를 쓰세요.

4 + 2 = ▲

▲ + ◐ + ◐ = 14

◐ = □

3 세 수는 모두 1부터 9까지의 수입니다. 물음에 맞는 세 수를 구하세요.

어떤 세 수의 합은 15이고, 세 수가 모두 같습니다.

어떤 세 수의 합은 19입니다. 세 수는 모두 다른 수이고, 4보다 큰 수입니다.

어떤 세 수의 합은 12입니다. 두 수는 같고, 나머지 한 수는 가장 작습니다.

형성평가

1 약속에 맞게 계산하세요.

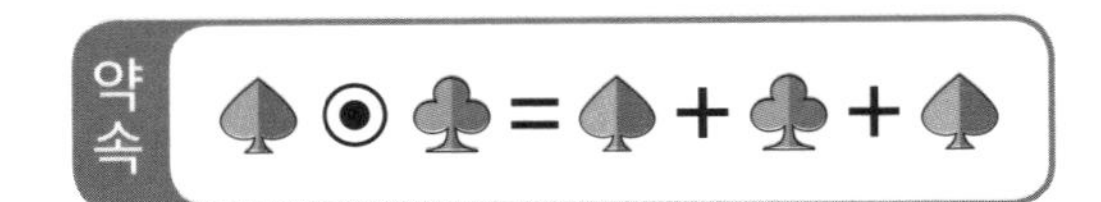

4⊙7 = ☐

약속 ♠ ◈ ♣ = ♠ + ♣ + ♣

5◈6 = ☐

2 세발자전거는 4대이고, 두발자전거는 세발자전거 보다 7대 더 많습니다. 자전거는 모두 몇 대일까요?

식 ____________________ 답 __________ 대

3 가로, 세로로 놓인 세 수의 합이 ✹ 안의 수가 되도록 ⬭로 묶으세요.

1	7	6
9	4	5
7	3	2

6	4	5
2	9	7
3	8	1

4 아래 두 수를 모으면 위의 수가 되는 규칙으로 수를 넣은 것입니다. 주어진 세 수를 맨 아래 칸에 넣어 수 피라미드를 완성하세요.

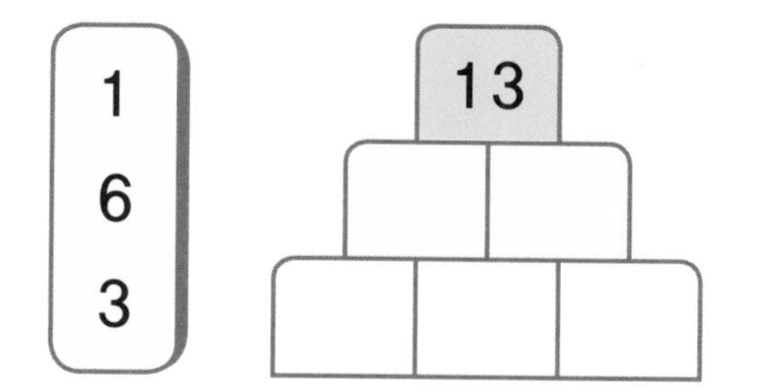

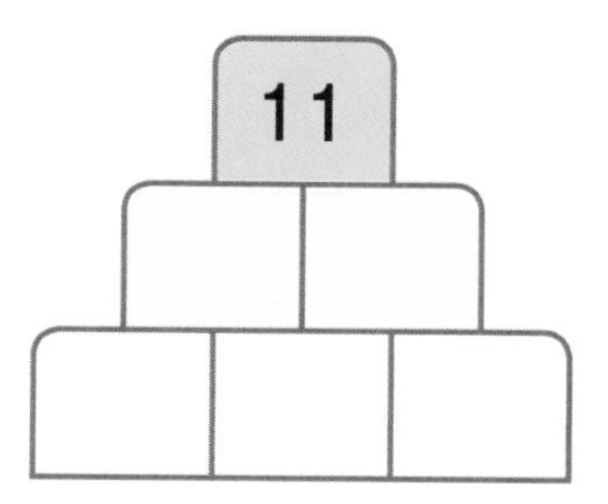

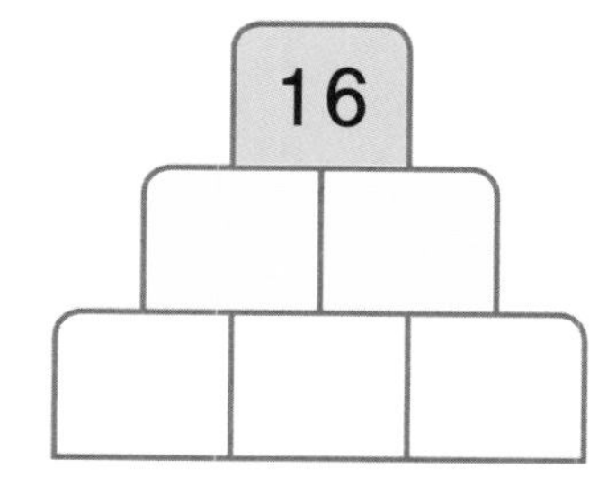

5 세 수의 합이 같도록 두 부분으로 나누세요.

6	4	2
5	3	8

2	3	6
1	7	3

5	8	6
4	9	2

6 ◇안의 수는 가로, 세로로 놓인 세 수의 합입니다. 합에 맞게 빈칸에 알맞은 수를 쓰세요.

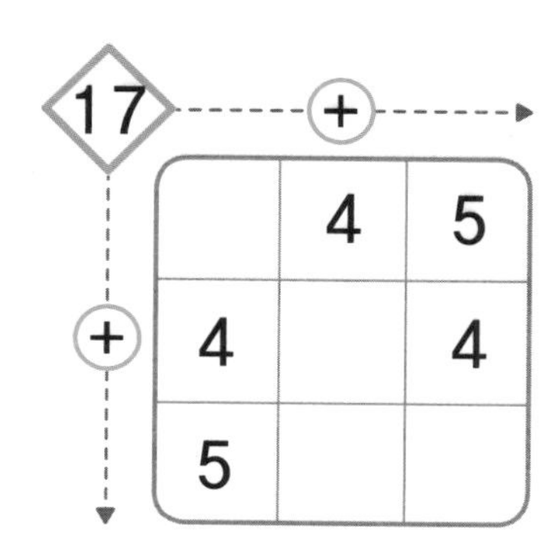

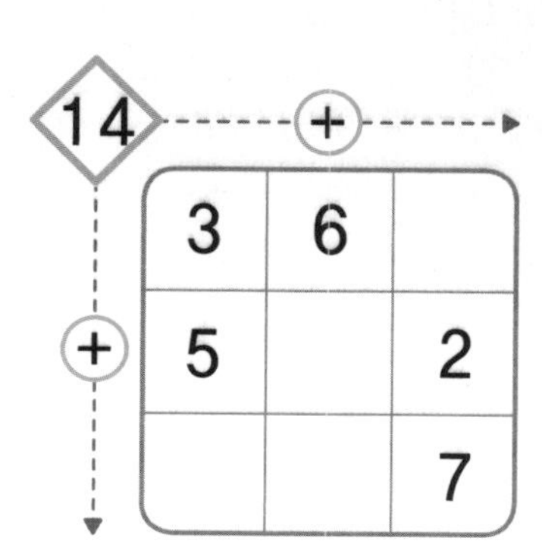

7 주차장에 택시 8대, 버스 4대, 트럭 몇 대가 주차되어 있습니다. 주차된 차는 모두 18대입니다. 트럭은 몇 대일까요? □를 사용한 식을 세우고 답을 구하세요.

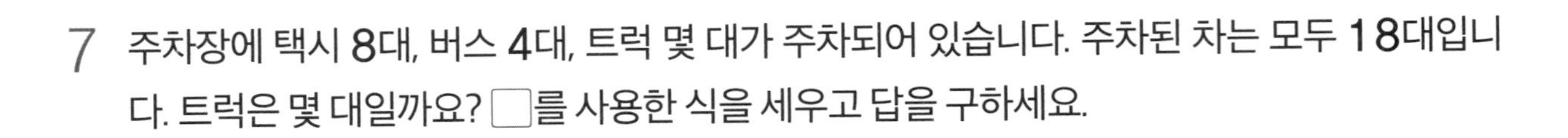

식 ______________ 답 ________ 대

8 같은 모양은 같은 수, 다른 모양은 다른 수를 나타냅니다. 사각형 밖의 수는 가로, 세로로 놓인 세 수의 합입니다. □ 안에 알맞은 수를 쓰세요.

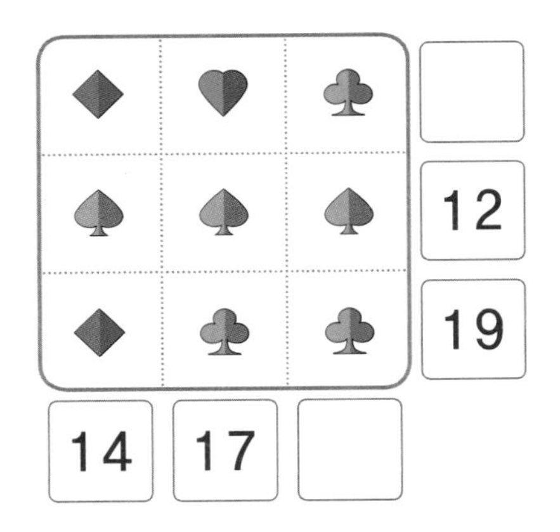

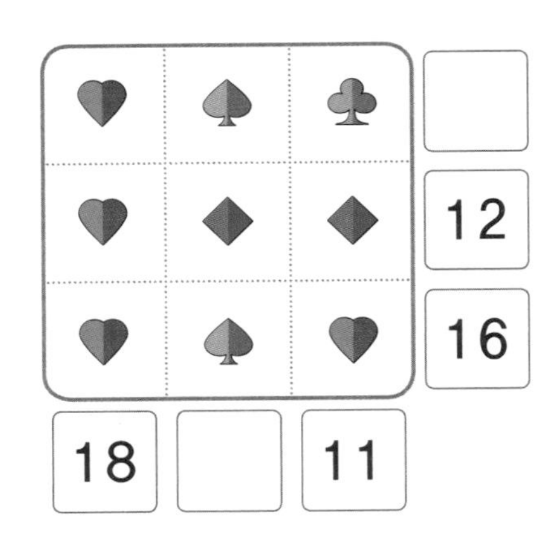

9 어떤 세 수의 합은 16입니다. 두 수는 같고, 나머지 한 수는 가장 작습니다. 어떤 세 수를 구하세요. 세 수는 모두 2보다 큰 수입니다.

□, □, □

상위권으로 가는 문제 해결 연산 학습지

응용 연산

정답

A1
초1~초2

받아올림이 있는 한 자리 수의 덧셈

받아올림이 있는 한 자리 수의 덧셈

초1~초2

정답 및 길잡이

10 만들기

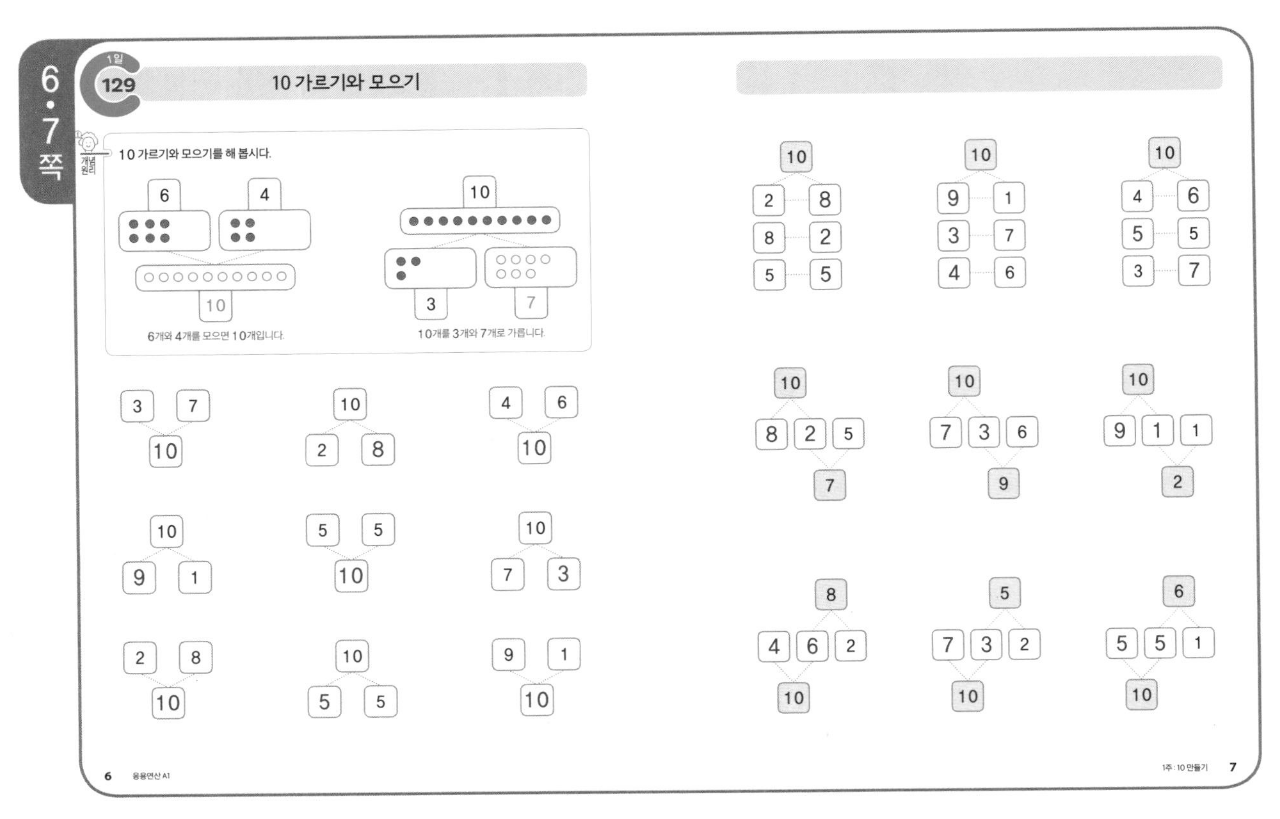
6·7쪽
1일 129
10 가르기와 모으기
10 가르기와 모으기를 해 봅시다.
6개와 4개를 모으면 10개입니다.
10개를 3개와 7개로 가릅니다.
6 응용연산 A1
1주 : 10 만들기 7

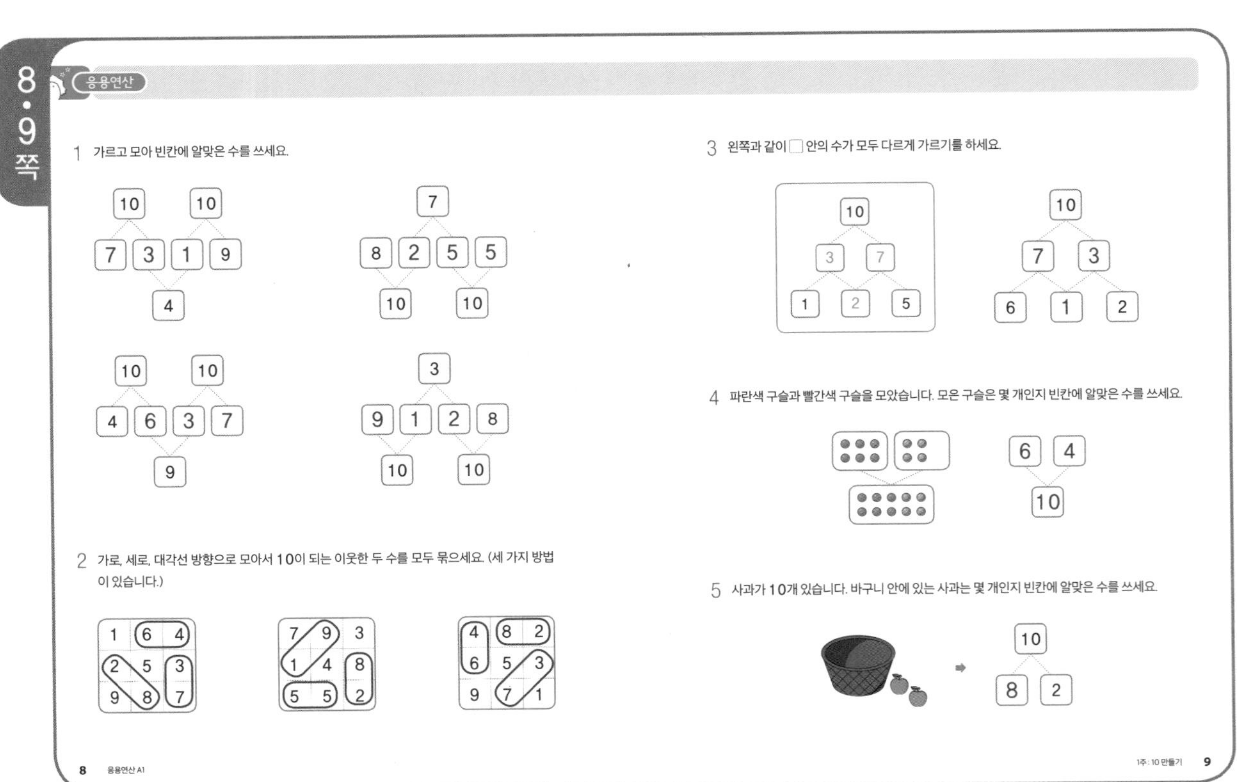
8·9쪽
응용연산
1 가르고 모아 빈칸에 알맞은 수를 쓰세요.
2 가로, 세로, 대각선 방향으로 모아서 10이 되는 이웃한 두 수를 모두 묶으세요. (세 가지 방법이 있습니다.)
3 왼쪽과 같이 □ 안의 수가 모두 다르게 가르기를 하세요.
4 파란색 구슬과 빨간색 구슬을 모았습니다. 모은 구슬은 몇 개인지 빈칸에 알맞은 수를 쓰세요.
5 사과가 10개 있습니다. 바구니 안에 있는 사과는 몇 개인지 빈칸에 알맞은 수를 쓰세요.
8 응용연산 A1
1주 : 10 만들기 9

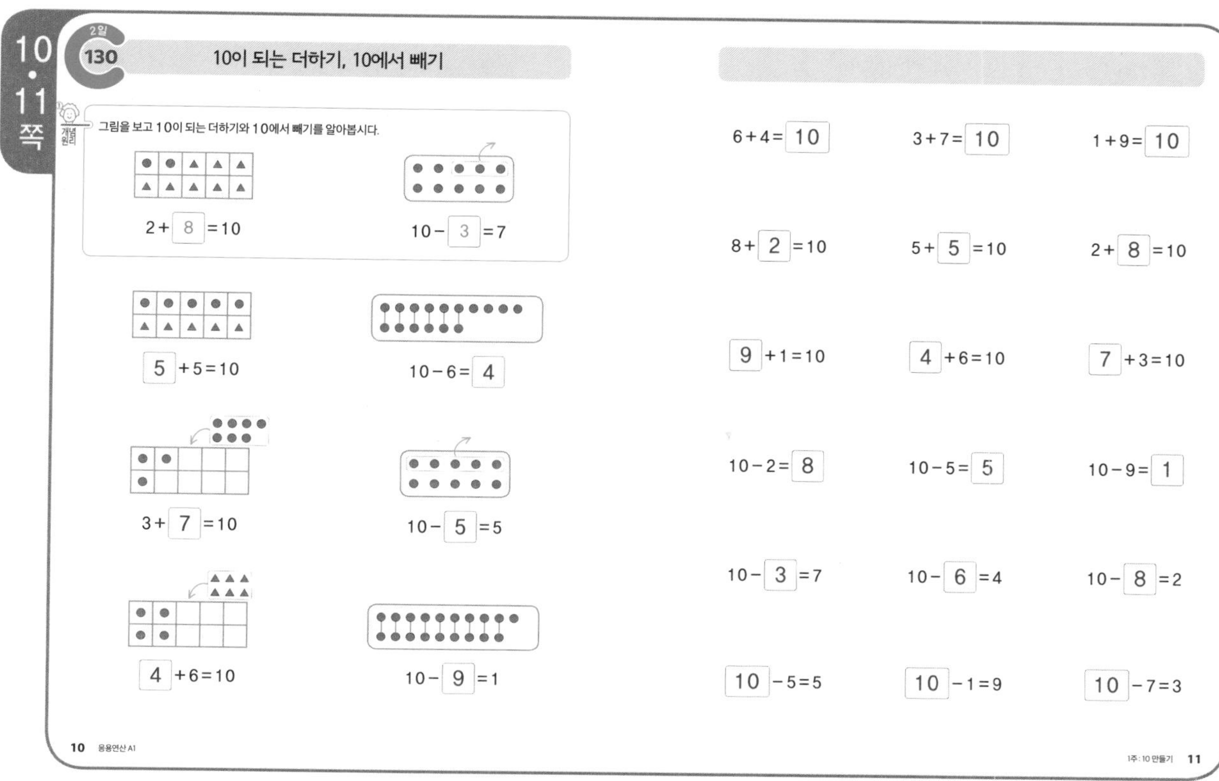
10·11쪽

2일 130 10이 되는 더하기, 10에서 빼기

개념원리 그림을 보고 10이 되는 더하기와 10에서 빼기를 알아봅시다.

2+[8]=10　　10−[3]=7

[5]+5=10　　10−6=[4]

3+[7]=10　　10−[5]=5

[4]+6=10　　10−[9]=1

6+4=[10]　　3+7=[10]　　1+9=[10]

8+[2]=10　　5+[5]=10　　2+[8]=10

[9]+1=10　　[4]+6=10　　[7]+3=10

10−2=[8]　　10−5=[5]　　10−9=[1]

10−[3]=7　　10−[6]=4　　10−[8]=2

[10]−5=5　　[10]−1=9　　[10]−7=3

10 응용연산 A1　　1주: 10 만들기 11

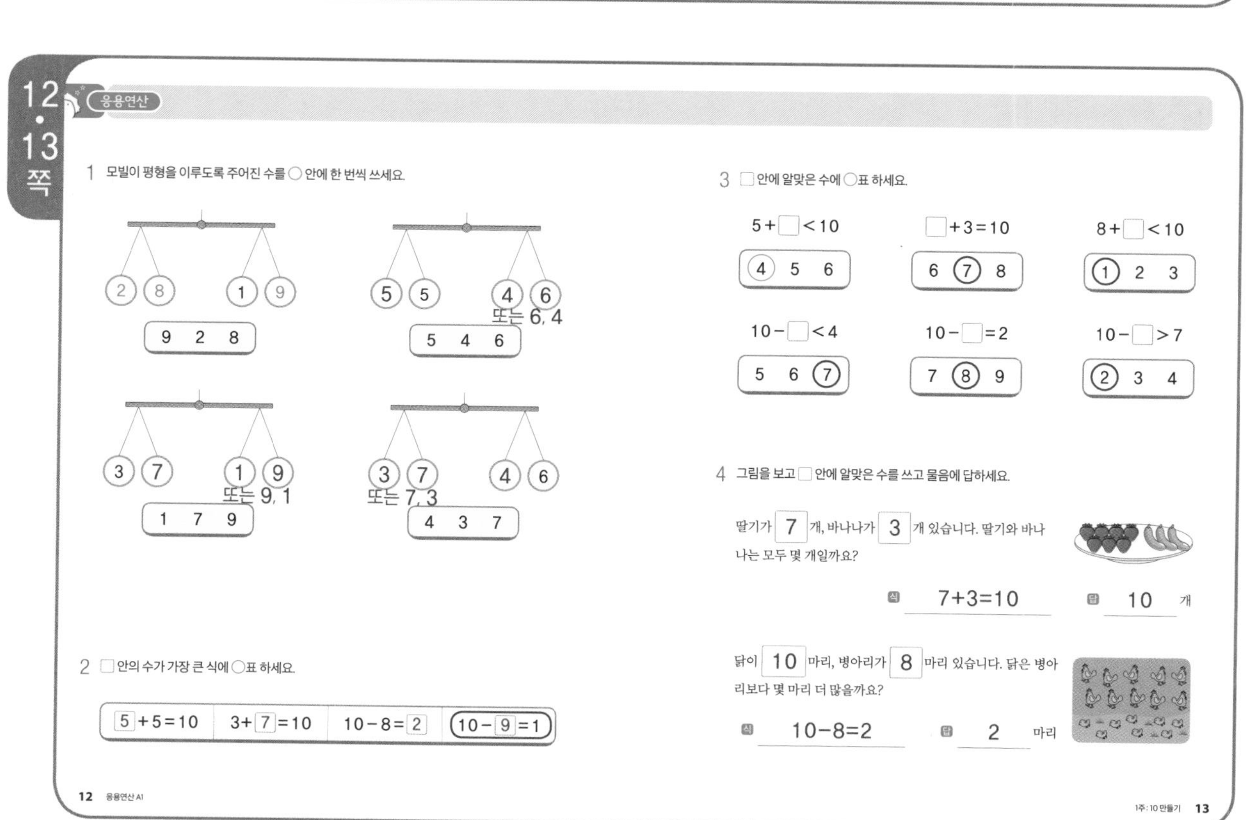
12·13쪽

응용연산

1 모빌이 평형을 이루도록 주어진 수를 ○ 안에 한 번씩 쓰세요.

9 2 8: (2)(8) (1)(9)

5 4 6: (5)(5) (4)(6) 또는 6, 4

1 7 9: (3)(7) (1)(9) 또는 9, 1

4 3 7: (3)(7) 또는 7, 3 (4)(6)

2 □안의 수가 가장 큰 식에 ○표 하세요.

[5]+5=10　　3+[7]=10　　10−8=[2]　　(10−[9]=1)

3 □안에 알맞은 수에 ○표 하세요.

5+□<10: (4) 5 6

□+3=10: 6 (7) 8

8+□<10: (1) 2 3

10−□<4: 5 6 (7)

10−□=2: 7 (8) 9

10−□>7: (2) 3 4

4 그림을 보고 □ 안에 알맞은 수를 쓰고 물음에 답하세요.

딸기가 [7]개, 바나나가 [3]개 있습니다. 딸기와 바나나는 모두 몇 개일까요?

식 7+3=10　　답 10 개

닭이 [10]마리, 병아리가 [8]마리 있습니다. 닭은 병아리보다 몇 마리 더 많을까요?

식 10−8=2　　답 2 마리

12 응용연산 A1　　1주: 10 만들기 13

14·15쪽

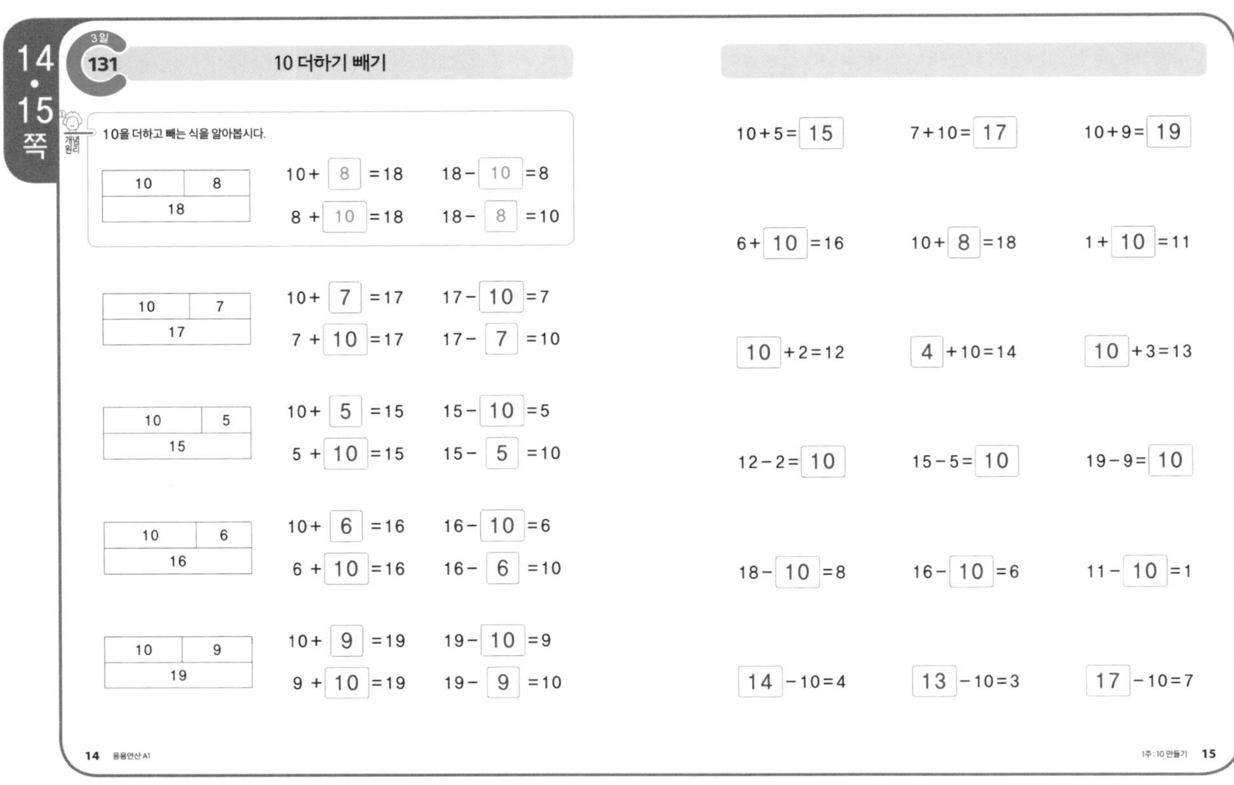

3일 131 **10 더하기 빼기**

개념 원리: 10을 더하고 빼는 식을 알아봅시다.

10	8
18	

10 + 8 = 18　18 − 10 = 8
8 + 10 = 18　18 − 8 = 10

10	7
17	

10 + 7 = 17　17 − 10 = 7
7 + 10 = 17　17 − 7 = 10

10	5
15	

10 + 5 = 15　15 − 10 = 5
5 + 10 = 15　15 − 5 = 10

10	6
16	

10 + 6 = 16　16 − 10 = 6
6 + 10 = 16　16 − 6 = 10

10	9
19	

10 + 9 = 19　19 − 10 = 9
9 + 10 = 19　19 − 9 = 10

10 + 5 = 15　7 + 10 = 17　10 + 9 = 19

6 + 10 = 16　10 + 8 = 18　1 + 10 = 11

10 + 2 = 12　4 + 10 = 14　10 + 3 = 13

12 − 2 = 10　15 − 5 = 10　19 − 9 = 10

18 − 10 = 8　16 − 10 = 6　11 − 10 = 1

14 − 10 = 4　13 − 10 = 3　17 − 10 = 7

14 응용연산 A1　　1주: 10 만들기 15

16·17쪽

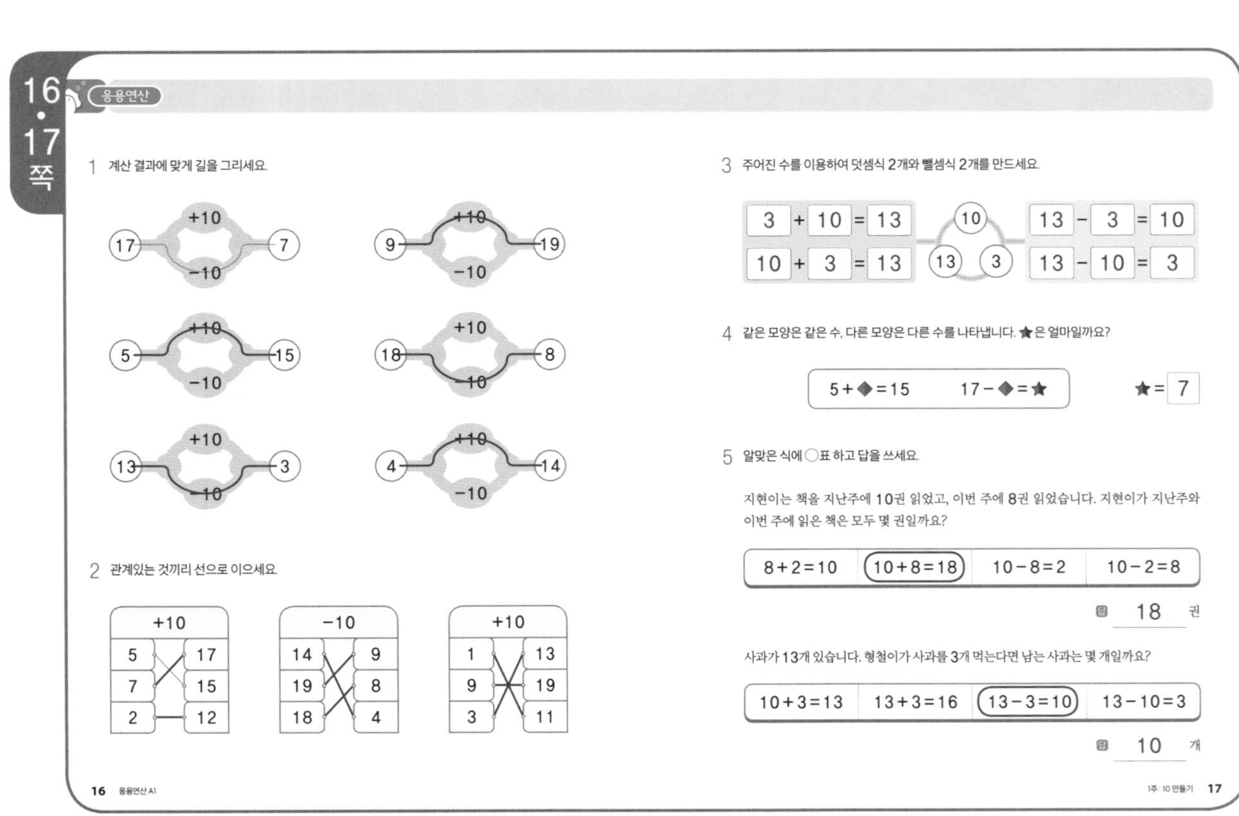

응용연산

1 계산 결과에 맞게 길을 그리세요.

2 관계있는 것끼리 선으로 이으세요.

+10	
5	17
7	15
2	12

−10	
14	9
19	8
18	4

+10	
1	13
9	19
3	11

3 주어진 수를 이용하여 덧셈식 2개와 뺄셈식 2개를 만드세요.

3 + 10 = 13　13 − 3 = 10
10 + 3 = 13　13 − 10 = 3

4 같은 모양은 같은 수, 다른 모양은 다른 수를 나타냅니다. ★은 얼마일까요?

5 + ◆ = 15　17 − ◆ = ★　　★ = 7

5 알맞은 식에 ○표 하고 답을 쓰세요.

지현이는 책을 지난주에 10권 읽었고, 이번 주에 8권 읽었습니다. 지현이가 지난주와 이번 주에 읽은 책은 모두 몇 권일까요?

8 + 2 = 10　(10 + 8 = 18)　10 − 8 = 2　10 − 2 = 8

답 18 권

사과가 13개 있습니다. 형철이가 사과를 3개 먹는다면 남는 사과는 몇 개일까요?

10 + 3 = 13　13 + 3 = 16　(13 − 3 = 10)　13 − 10 = 3

답 10 개

16 응용연산 A1　　1주: 10 만들기 17

18·19쪽

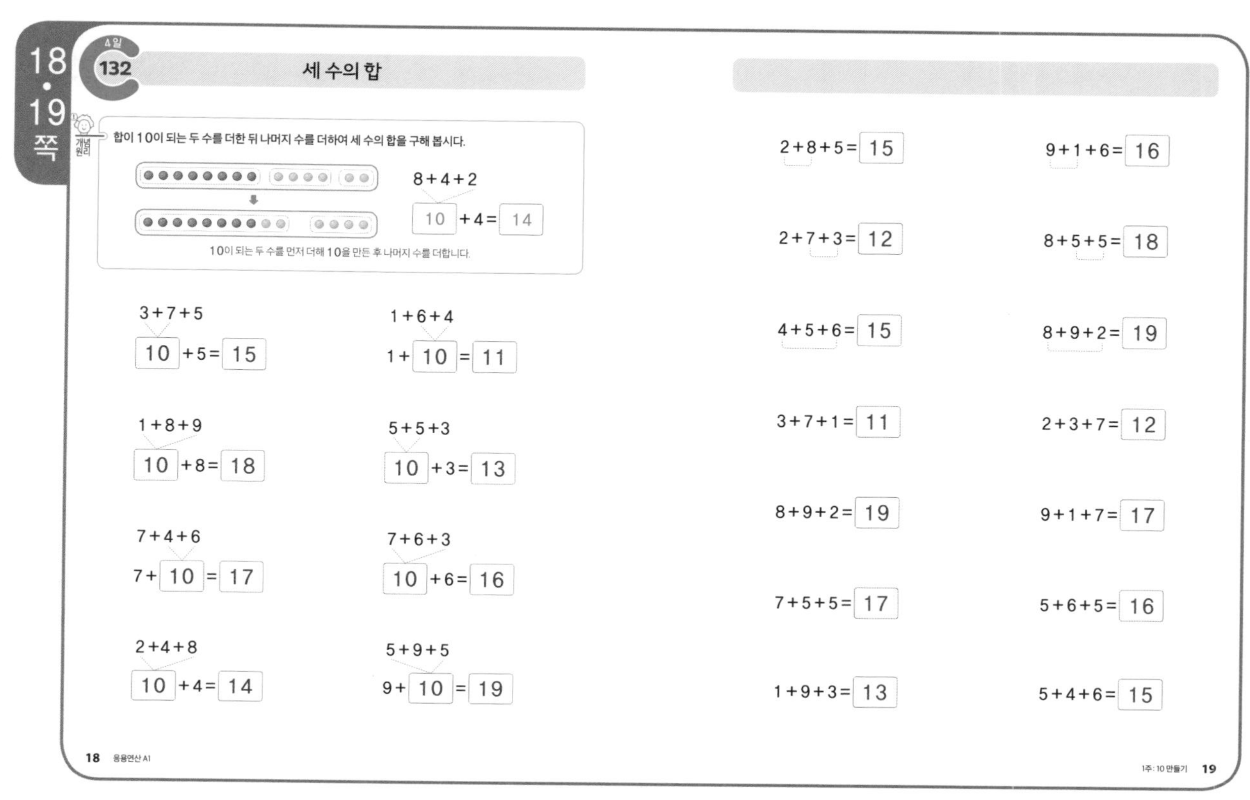
4일 132 세 수의 합

개념원리: 합이 10이 되는 두 수를 더한 뒤 나머지 수를 더하여 세 수의 합을 구해 봅시다.

8+4+2
10 +4= 14

10이 되는 두 수를 먼저 더해 10을 만든 후 나머지 수를 더합니다.

3+7+5
10 +5= 15

1+6+4
1+ 10 = 11

1+8+9
10 +8= 18

5+5+3
10 +3= 13

7+4+6
7+ 10 = 17

7+6+3
10 +6= 16

2+4+8
10 +4= 14

5+9+5
9+ 10 = 19

2+8+5= 15

9+1+6= 16

2+7+3= 12

8+5+5= 18

4+5+6= 15

8+9+2= 19

3+7+1= 11

2+3+7= 12

8+9+2= 19

9+1+7= 17

7+5+5= 17

5+6+5= 16

1+9+3= 13

5+4+6= 15

18 응용연산 A1 1주: 10 만들기 19

20·21쪽

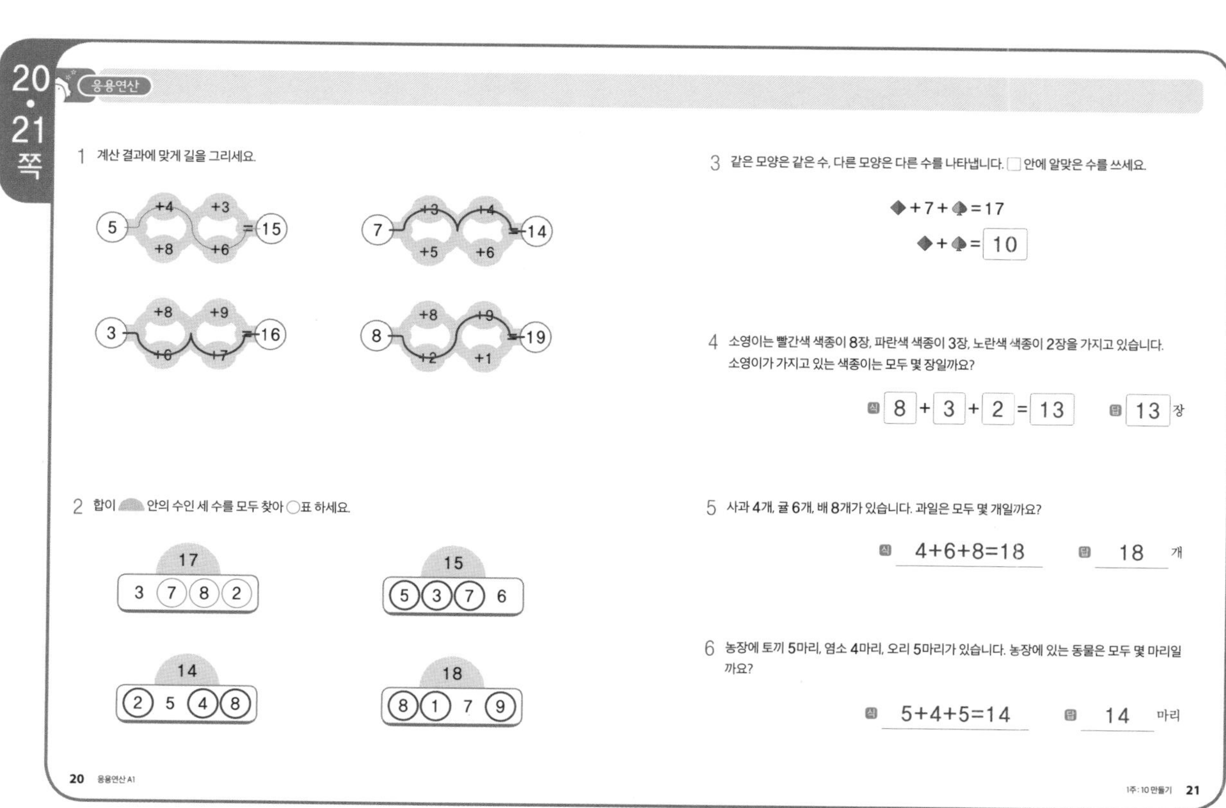
응용연산

1 계산 결과에 맞게 길을 그리세요.

5, +4, +3, +8, +6, =15

7, +3, +4, +5, +6, =14

3, +8, +9, +6, +7, =16

8, +8, +9, +2, +1, =19

2 합이 안의 수인 세 수를 모두 찾아 ○표 하세요.

17: 3 (7) (8) (2)

15: (5) (3) (7) 6

14: (2) 5 (4) (8)

18: (8) (1) 7 (9)

3 같은 모양은 같은 수, 다른 모양은 다른 수를 나타냅니다. □ 안에 알맞은 수를 쓰세요.

◆+7+♠=17
◆+♠= 10

4 소영이는 빨간색 색종이 8장, 파란색 색종이 3장, 노란색 색종이 2장을 가지고 있습니다. 소영이가 가지고 있는 색종이는 모두 몇 장일까요?

식 8 + 3 + 2 = 13 답 13 장

5 사과 4개, 귤 6개, 배 8개가 있습니다. 과일은 모두 몇 개일까요?

식 4+6+8=18 답 18 개

6 농장에 토끼 5마리, 염소 4마리, 오리 5마리가 있습니다. 농장에 있는 동물은 모두 몇 마리일까요?

식 5+4+5=14 답 14 마리

20 응용연산 A1 1주: 10 만들기 21

정답 및 해설

22·23쪽

5일 **형성평가**

1 가르고 모아 빈칸에 알맞은 수를 쓰세요.

10, 10 → 8, 2 / 3, 7 → 5

9 → 5, 5 / 4, 6 → 10, 10

2 파란색 구슬과 빨간색 구슬을 모았습니다. 모은 구슬은 몇 개인지 빈칸에 알맞은 수를 쓰세요.

5, 5 → 10

3 모빌이 평형을 이루도록 주어진 수를 ◯ 안에 한 번씩 쓰세요.

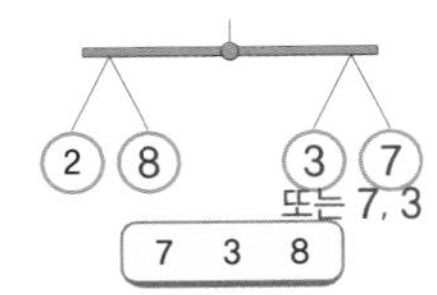

또는 7, 3

7 3 8

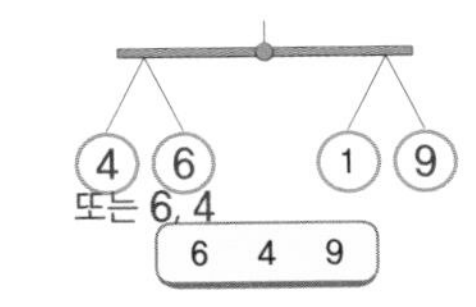

또는 6, 4

6 4 9

4 □ 안에 알맞은 수에 ◯표 하세요.

10−□<5 : 4 5 (6)

□+4=10 : 5 (6) 7

10−□>3 : (6) 7 8

5 관계있는 것끼리 선으로 이으세요.

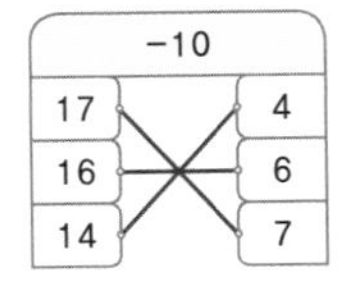

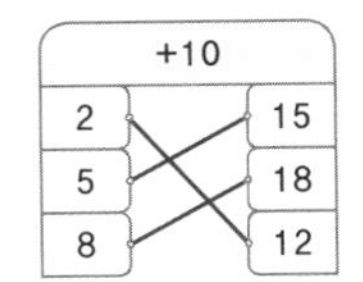

6 사탕이 16개 있습니다. 정우가 사탕 10개를 먹는다면 남는 사탕은 몇 개일까요?

식 16−10=6 답 6 개

24쪽

7 계산 결과에 맞게 길을 그리세요.

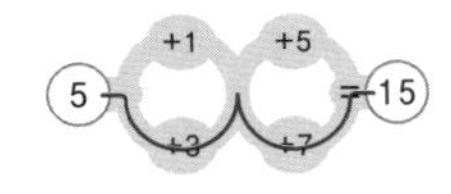

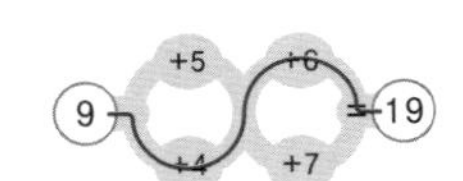

8 합이 ◠ 안의 수인 세 수를 모두 찾아 ◯표 하세요.

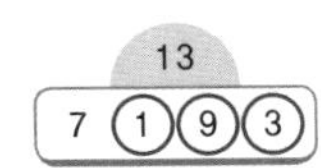

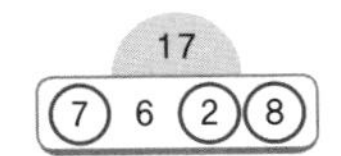

9 빨간색 구슬 7개, 파란색 구슬 6개, 노란색 구슬 3개가 있습니다. 구슬은 모두 몇 개일까요?

식 7+6+3=16 답 16 개

두 수의 덧셈

26·27쪽

1일 133 (큰 수)+(작은 수)

개념원리 덧셈을 해 봅시다.

7+5=10+2=12
3 2

5를 3과 2로 가르기한 다음, 7에 3을 먼저 더해 10을 만든 후 다시 2를 더합니다.

8+3=10+1=11 (2, 1)

7+4=10+1=11 (3, 1)

6+5=10+1=11 (4, 1)

8+6=10+4=14 (2, 4)

9+4=10+3=13 (1, 3)

7+6=10+3=13 (3, 3)

8+4=10+2=12 (2, 2)

9+6=10+5=15 (1, 5)

7+6=13 (3, 3)

8+5=13 (2, 3)

9+7=16 (1, 6)

9+3=12 (1, 2)

8+7=15 (2, 5)

7+4=11 (3, 1)

8+6=14 (2, 4)

8+5=13 (2, 3)

9+8=17 (1, 7)

6+5=11 (4, 1)

7+7=14 (3, 4)

9+5=14 (1, 4)

7 + 5 = 12

9 + 6 = 15

8 + 3 = 11

6 + 6 = 12

28·29쪽

응용연산

1 관계있는 것끼리 선으로 이으세요.

+5: 5–10, 7–12, 8–13

+4: 6–10, 8–12, 7–11

+3: 9–12, 7–10, 8–11

+6: 8–14, 9–15, 6–12

2 짝지은 두 수의 합을 빈칸에 쓰세요.

5, 3 → 8; 4, 2 → 6; 8, 6 → 14

6, 3 → 9; 7, 1 → 8; 9, 8 → 17

3 같은 모양에 있는 수의 합을 구하세요.

7, 8, 6, 9, 5, 6, 3, 2

○ 13, △ 11, □ 10, ⬡ 12

4 관계있는 것끼리 선으로 잇고 식을 완성하세요.

택시 8대, 버스 7대가 있습니다. — 자동차는 모두 몇 대일까요? ⇨ 8+7=15

복숭아 9개, 수박 3개가 있습니다. — 과일은 모두 몇 개일까요? ⇨ 9+3=12

운동화 6켤레, 구두 5켤레가 있습니다. — 신발은 모두 몇 켤레일까요? ⇨ 6+5=11

30·31쪽

2일 134 (작은 수)+(큰 수)

개념원리 덧셈을 해 봅시다.

4+9=3+10=13

3 1

4를 3과 1로 가르기한 다음, 9에 1을 먼저 더해 10을 만든 후 다시 3을 더합니다.

5+7=2+10=12 (2, 3)

7+8=5+10=15 (5, 2)

3+8=1+10=11 (1, 2)

6+7=3+10=13 (3, 3)

6+9=5+10=15 (5, 1)

2+9=1+10=11 (1, 1)

4+7=1+10=11 (1, 3)

5+8=3+10=13 (3, 2)

2+9=11 (1, 1)

8+9=17 (7, 1)

6+8=14 (4, 2)

7+8=15 (5, 2)

5+6=11 (1, 4)

5+9=14 (4, 1)

6+8=14 (4, 2)

5+6=11 (1, 4)

8+9=17 (7, 1)

6+9=15 (5, 1)

4+7=11 (1, 3)

4+8=12 (2, 2)

6+7=13

9+9=18

7+8=15

3+9=12

32·33쪽

응용연산

1 빈칸에 알맞은 수를 쓰세요.

4, 6, 5 → +7 → 11, 13, 12

8, 7, 6 → +8 → 16, 15, 14

3, 8, 6 → +9 → 12, 17, 15

5, 6, 4 → +6 → 11, 12, 10

2 안쪽 수와 바깥쪽 수를 더해 □ 안에 알맞은 수를 쓰세요.

12, 10, 13, 13

12, 11, 15, 17

3 다음과 같이 숫자 카드를 한 번씩 모두 사용하여 두 가지 방법으로 덧셈식을 완성하세요.

4, 9, 1, 3: 4+9=13, 9+4=13

8, 5, 3, 1: 5+8=13, 8+5=13

4 다음을 보고 물음에 맞는 식과 답을 쓰세요.

지원: 나는 동화책을 6권 가지고 있어.
민주: 나는 지원이가 가진 것보다 3권 더 많아.

민주가 가진 동화책은 몇 권일까요?

식 6+3=9 답 9 권

지원이와 민주가 가진 동화책은 모두 몇 권일까요?

식 6+9=15 답 15 권

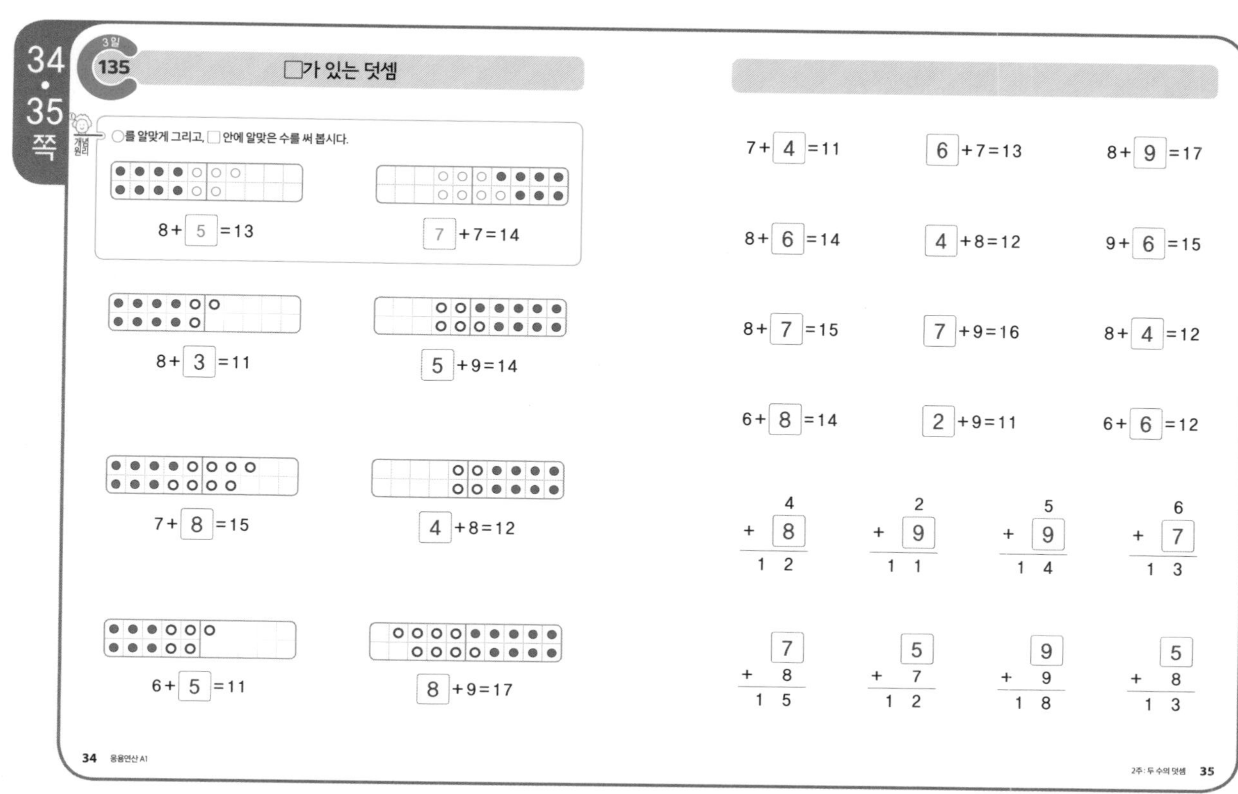

34·35쪽

3일 135 □가 있는 덧셈

개념원리 ○를 알맞게 그리고, □ 안에 알맞은 수를 써 봅시다.

8+ 5 =13

7 +7=14

8+ 3 =11

5 +9=14

7+ 8 =15

4 +8=12

6+ 5 =11

8 +9=17

7+ 4 =11

6 +7=13

8+ 9 =17

8+ 6 =14

4 +8=12

9+ 6 =15

8+ 7 =15

7 +9=16

8+ 4 =12

6+ 8 =14

2 +9=11

6+ 6 =12

4 + 8 = 12

2 + 9 = 11

5 + 9 = 14

6 + 7 = 13

7 + 8 = 15

5 + 7 = 12

9 + 9 = 18

5 + 8 = 13

34 응용연산 A1

2주: 두 수의 덧셈 35

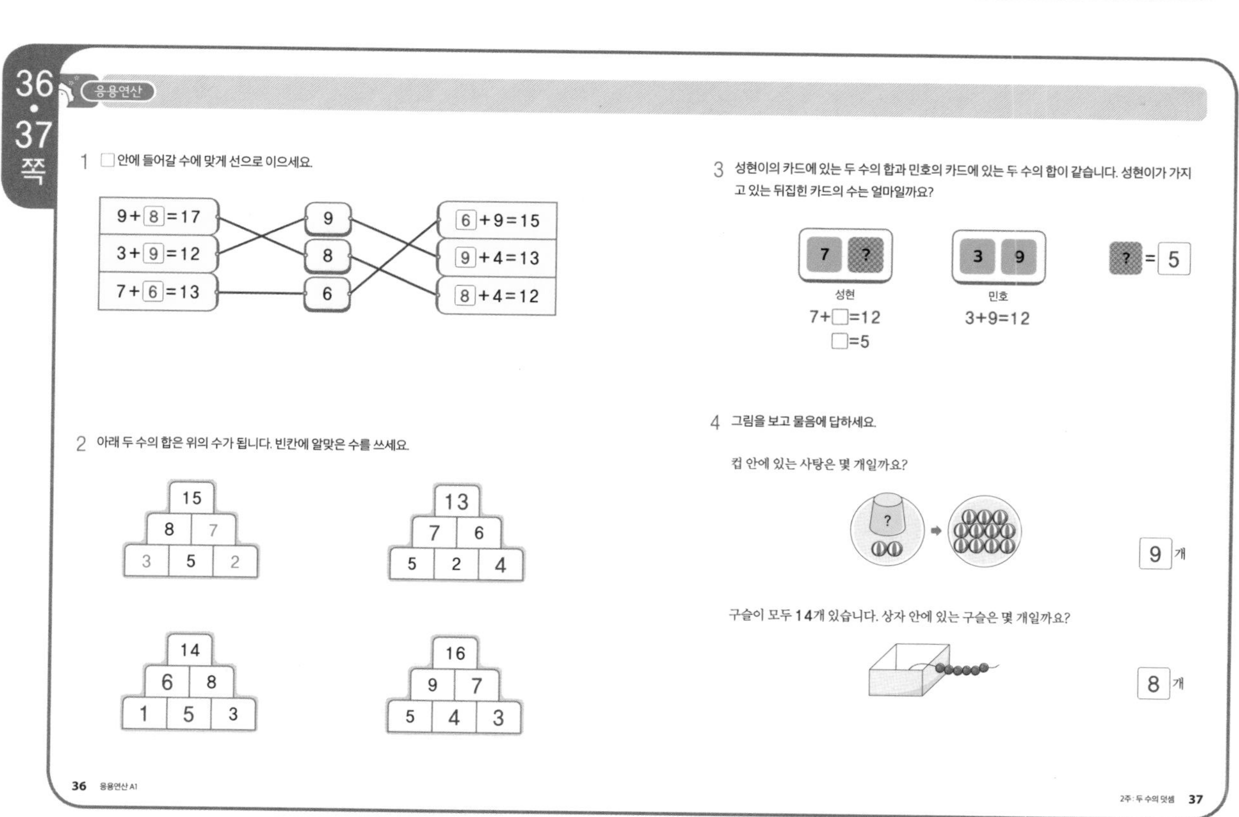

36·37쪽

응용연산

1 □ 안에 들어갈 수에 맞게 선으로 이으세요.

9+ 8 =17 — 8 — 8 +4=12

3+ 9 =12 — 9 — 9 +4=13

7+ 6 =13 — 6 — 6 +9=15

2 아래 두 수의 합은 위의 수가 됩니다. 빈칸에 알맞은 수를 쓰세요.

15 / 8 7 / 3 5 2

13 / 7 6 / 5 2 4

14 / 6 8 / 1 5 3

16 / 9 7 / 5 4 3

3 성현이의 카드에 있는 두 수의 합과 민호의 카드에 있는 두 수의 합이 같습니다. 성현이가 가지고 있는 뒤집힌 카드의 수는 얼마일까요?

7+□=12

□=5

3+9=12

? = 5

4 그림을 보고 물음에 답하세요.

컵 안에 있는 사탕은 몇 개일까요?

9 개

구슬이 모두 14개 있습니다. 상자 안에 있는 구슬은 몇 개일까요?

8 개

36 응용연산 A1

2주: 두 수의 덧셈 37

38·39쪽

4일 136 **합의 대소 비교**

개념원리 두 수의 합을 구하고 ○ 안에 > 또는 <를 넣어 봅시다.

7+6= 13 — 7+6 (>) 12, 7+6 (<) 14

○가 □보다 큰 수이면 ○>□, ○가 □보다 작은 수이면 ○<□

8+7= 15 — 8+7 (>) 14, 8+7 (<) 16

9+3= 12 — 9+3 (<) 13, 9+3 (>) 11

6+8= 14 — 6+8 (>) 12, 6+8 (<) 15

4+8= 12 — 4+8 (<) 14, 4+8 (<) 15

9+8= 17 — 9+8 (>) 16, 9+8 (>) 13

7+9= 16 — 7+9 (<) 18, 7+9 (>) 14

8+4 (<) 13 9+5 (=) 14 6+8 (>) 13

9+6 (>) 14 4+7 (<) 17 9+3 (=) 12

7+7 (=) 14 8+9 (>) 16 6+7 (<) 15

3+9 (=) 6+6 8+4 (<) 7+6

8+5 (>) 4+7 8+8 (=) 9+7

5+8 (>) 9+2 7+4 (<) 5+9

38 응용연산 A1 2주: 두 수의 덧셈 39

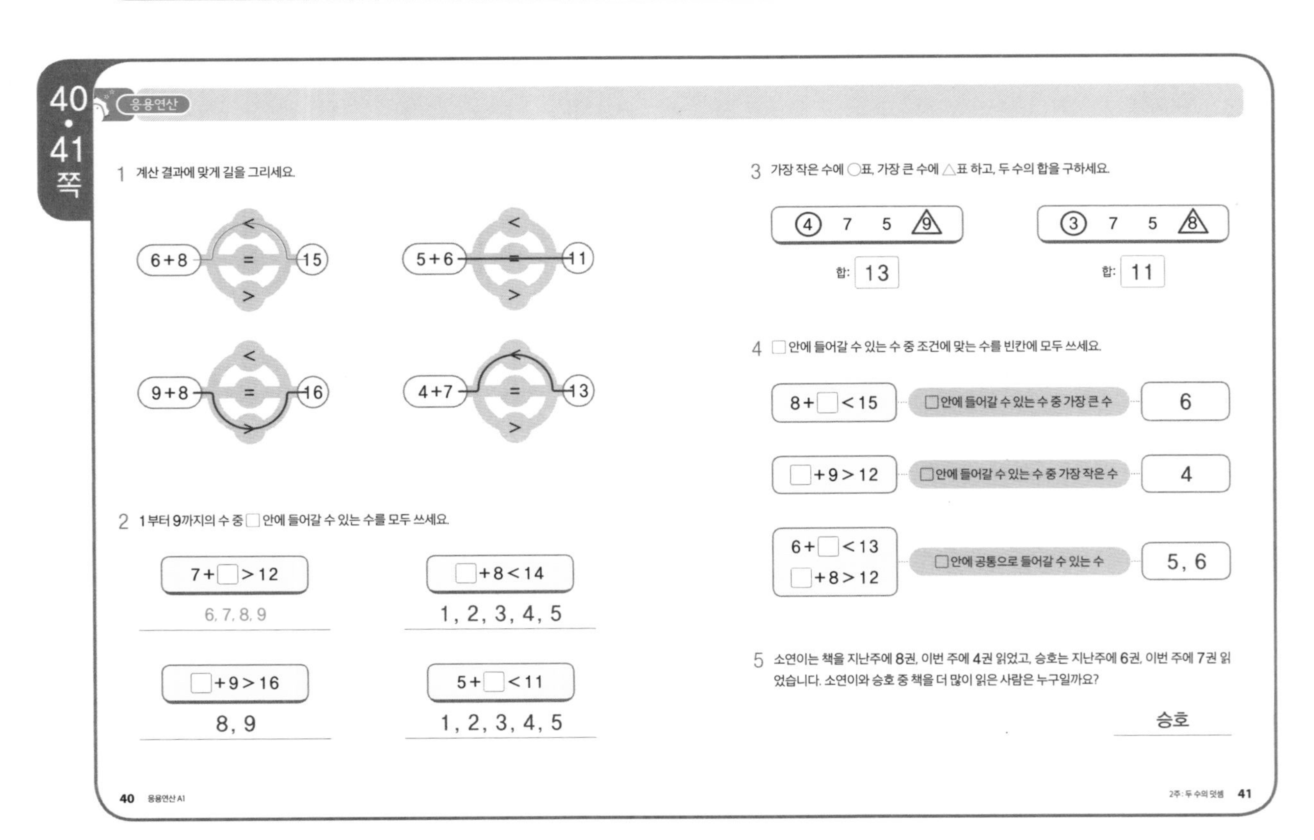
40·41쪽

응용연산

1 계산 결과에 맞게 길을 그리세요.

6+8 (<, =, >) 15 / 5+6 (<, =, >) 11 / 9+8 (<, =, >) 16 / 4+7 (<, =, >) 13

2 1부터 9까지의 수 중 □ 안에 들어갈 수 있는 수를 모두 쓰세요.

7+□>12 — 6, 7, 8, 9

□+8<14 — 1, 2, 3, 4, 5

□+9>16 — 8, 9

5+□<11 — 1, 2, 3, 4, 5

3 가장 작은 수에 ○표, 가장 큰 수에 △표 하고, 두 수의 합을 구하세요.

④ 7 5 ⚠9 — 합: 13

③ 7 5 ⚠8 — 합: 11

4 □ 안에 들어갈 수 있는 수 중 조건에 맞는 수를 빈칸에 모두 쓰세요.

8+□<15 — □안에 들어갈 수 있는 수 중 가장 큰 수 — 6

□+9>12 — □안에 들어갈 수 있는 수 중 가장 작은 수 — 4

6+□<13, □+8>12 — □안에 공통으로 들어갈 수 있는 수 — 5, 6

5 소연이는 책을 지난주에 8권, 이번 주에 4권 읽었고, 승호는 지난주에 6권, 이번 주에 7권 읽었습니다. 소연이와 승호 중 책을 더 많이 읽은 사람은 누구일까요?

승호

40 응용연산 A1 2주: 두 수의 덧셈 41

42 · 43 쪽

5일 형성평가

1 관계있는 것끼리 선으로 이으세요.

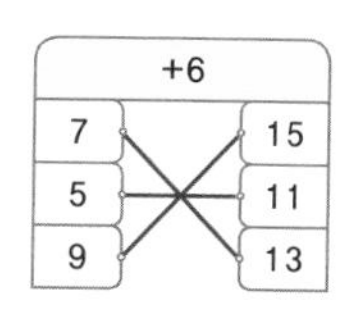
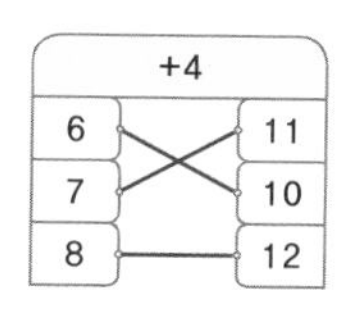

2 같은 모양에 있는 수의 합을 구하세요.

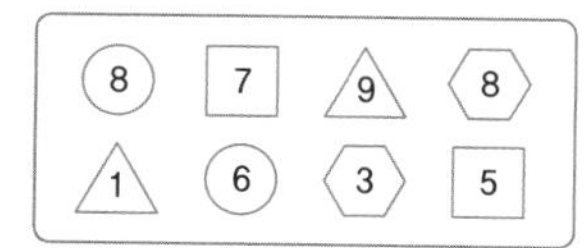
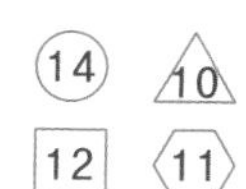

3 빈칸에 알맞은 수를 쓰세요.

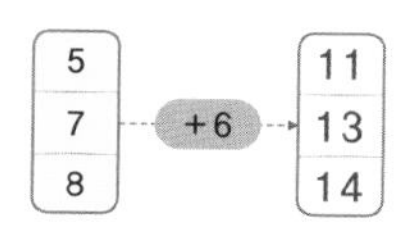
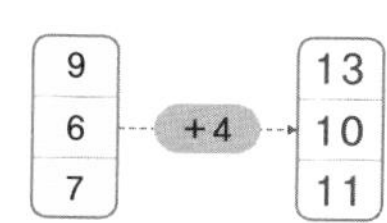

4 숫자 카드를 한 번씩 모두 사용하여 두 가지 방법으로 덧셈식을 완성하세요.

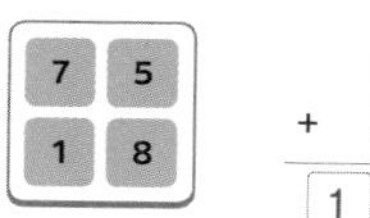
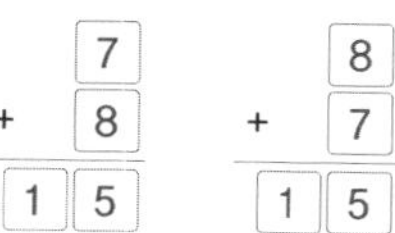

5 아래 두 수의 합은 위의 수가 됩니다. 빈칸에 알맞은 수를 쓰세요.

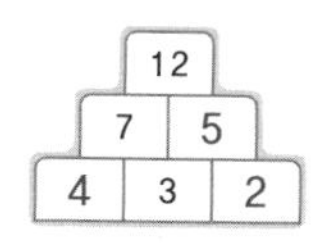
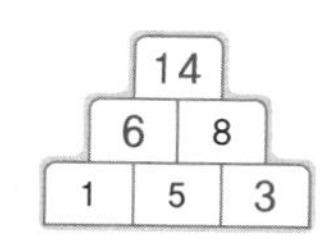

6 구슬이 모두 12개 있습니다. 상자 안에 있는 구슬은 몇 개일까요?

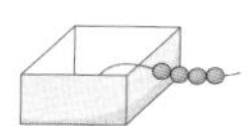

8 개

44 쪽

7 계산 결과에 맞게 길을 그으세요.

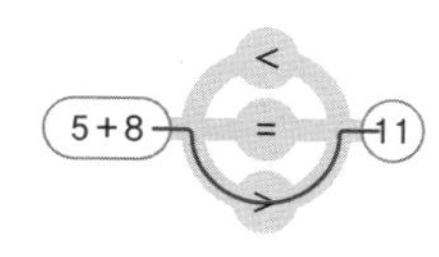
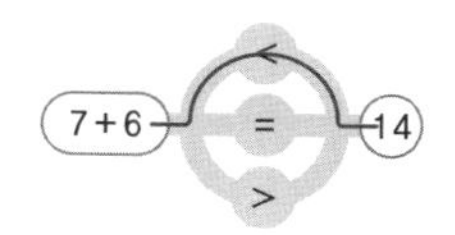

8 가장 작은 수에 ○표, 가장 큰 수에 △표 하고, 두 수의 합을 구하세요.

7 ⑥ 9 8

합: 15

5 6 7 ④

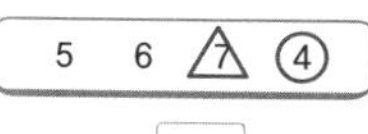

합: 11

9 수정이는 딸기를 어제는 9개, 오늘은 4개 먹었습니다. 재승이는 딸기를 어제는 6개, 오늘은 8개 먹었습니다. 수정이와 재승이 중 딸기를 더 많이 먹은 사람은 누구일까요?

재승

덧셈 활용하기

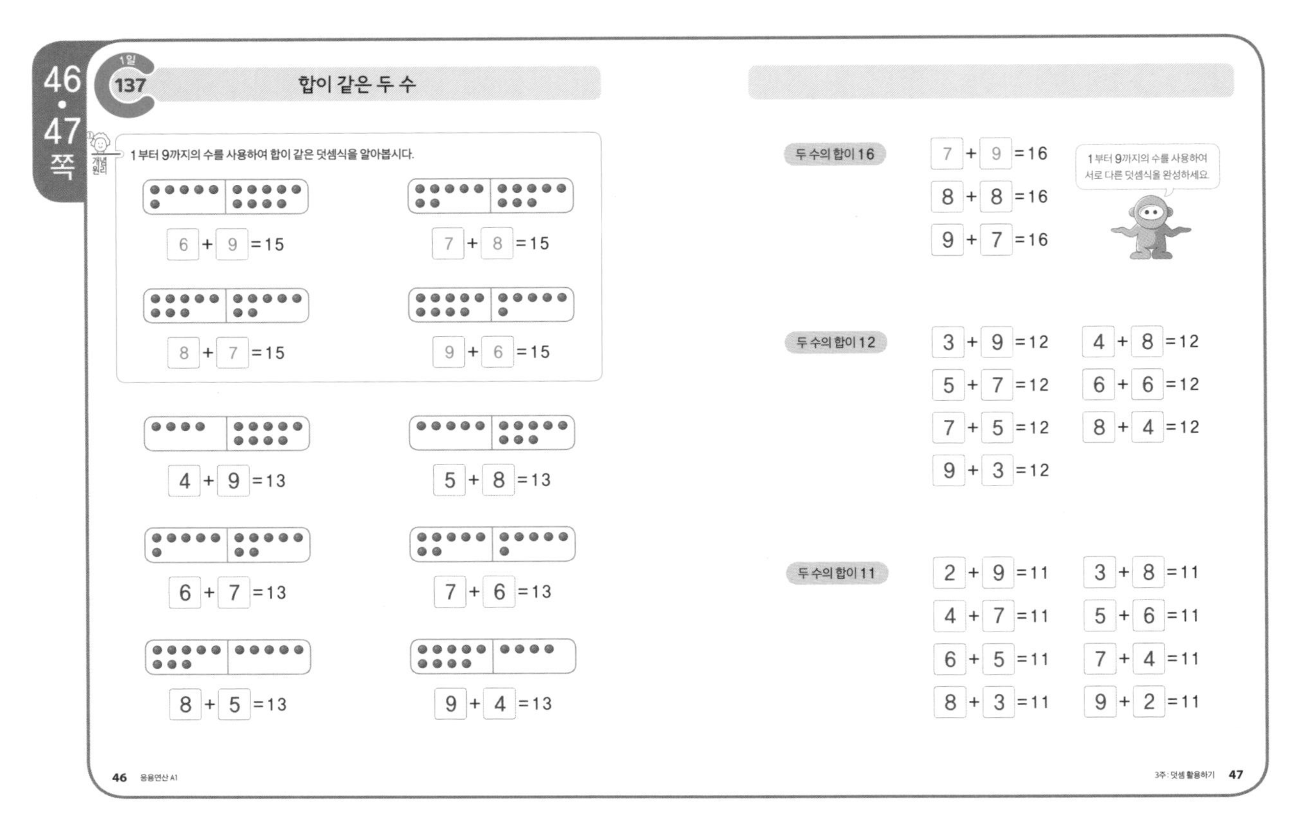
46·47쪽
1일 137 합이 같은 두 수
개념원리 1부터 9까지의 수를 사용하여 합이 같은 덧셈식을 알아봅시다.
6 + 9 = 15
7 + 8 = 15
8 + 7 = 15
9 + 6 = 15
4 + 9 = 13
5 + 8 = 13
6 + 7 = 13
7 + 6 = 13
8 + 5 = 13
9 + 4 = 13
두 수의 합이 16
7 + 9 = 16
8 + 8 = 16
9 + 7 = 16
1부터 9까지의 수를 사용하여 서로 다른 덧셈식을 완성하세요.
두 수의 합이 12
3 + 9 = 12
4 + 8 = 12
5 + 7 = 12
6 + 6 = 12
7 + 5 = 12
8 + 4 = 12
9 + 3 = 12
두 수의 합이 11
2 + 9 = 11
3 + 8 = 11
4 + 7 = 11
5 + 6 = 11
6 + 5 = 11
7 + 4 = 11
8 + 3 = 11
9 + 2 = 11
46 응용연산 A1
3주: 덧셈 활용하기 47

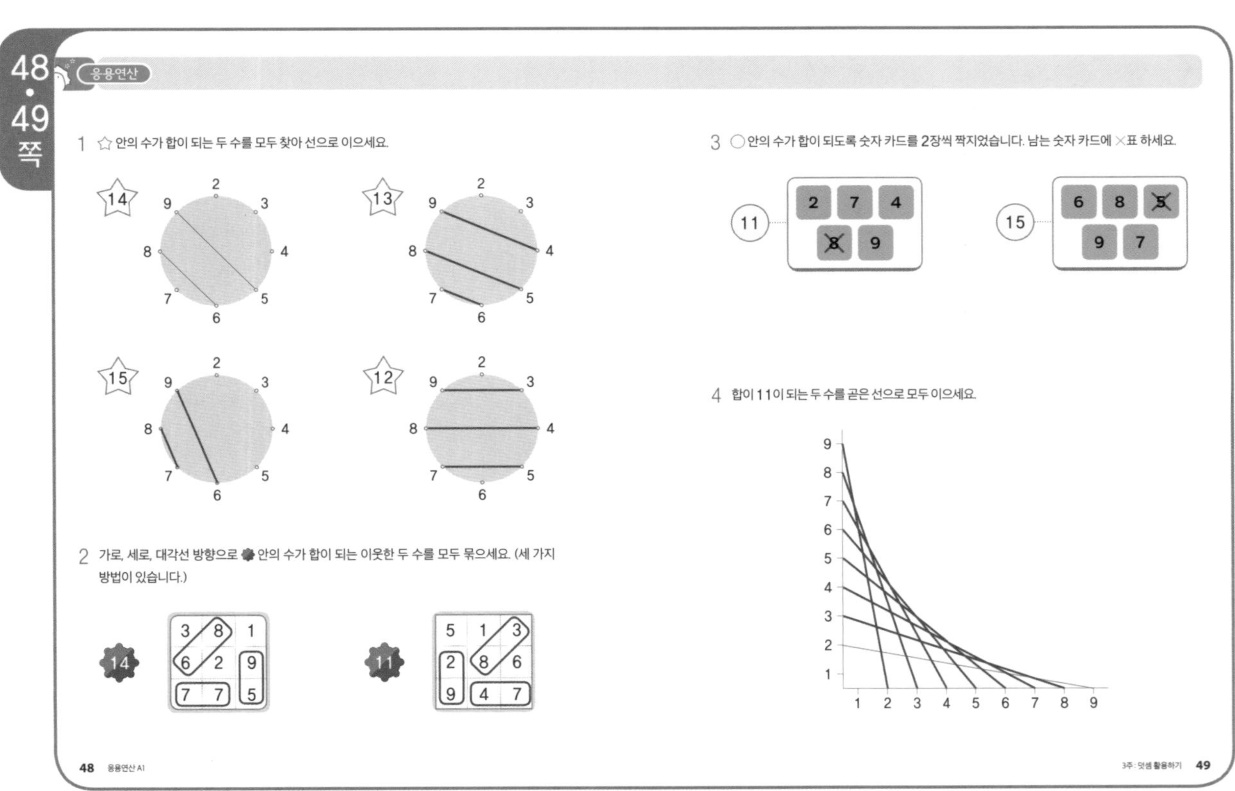
48·49쪽
응용연산
1 ☆ 안의 수가 합이 되는 두 수를 모두 찾아 선으로 이으세요.
14
13
15
12
2 가로, 세로, 대각선 방향으로 ✹ 안의 수가 합이 되는 이웃한 두 수를 모두 묶으세요. (세 가지 방법이 있습니다.)
14
11
3 ◯ 안의 수가 합이 되도록 숫자 카드를 2장씩 짝지었습니다. 남는 숫자 카드에 ×표 하세요.
11
15
4 합이 11이 되는 두 수를 곧은 선으로 모두 이으세요.
48 응용연산 A1
3주: 덧셈 활용하기 49

50·51쪽

2일 138 목표수 만들기

개념원리 주머니에서 수 2개를 뽑아 여러 가지 덧셈식을 만들어 봅시다.

(주머니: 8, 2, 9)

2 + 8 = 10
2 + 9 = 11
8 + 9 = 17

세 수 2, 8, 9 중 합이 10이 되는 두 수는 2와 8입니다.

(주머니: 8, 5, 7)
5 + 8 = 13
5 + 7 = 12
7 + 8 = 15

(주머니: 6, 4, 9)
4 + 6 = 10
6 + 9 = 15
4 + 9 = 13

(주머니: 7, 8, 3)
7 + 8 = 15
3 + 7 = 10
3 + 8 = 11

(주머니: 5, 7, 6)
5 + 6 = 11
6 + 7 = 13
5 + 7 = 12

더하는 두 수의 순서는 서로 바뀔 수 있습니다.

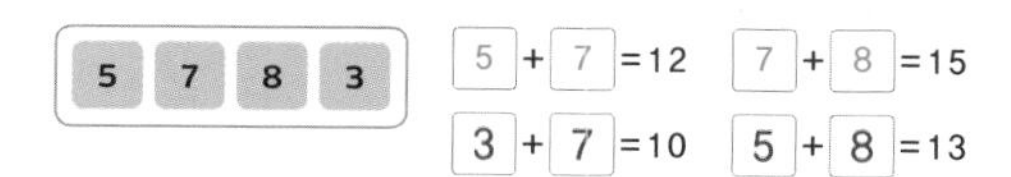

5 7 8 3
5 + 7 = 12　7 + 8 = 15
3 + 7 = 10　5 + 8 = 13

9 3 7 8
3 + 7 = 10　8 + 9 = 17
3 + 9 = 12　3 + 8 = 11

4 7 8 6
6 + 7 = 13　6 + 8 = 14
4 + 6 = 10　4 + 8 = 12
4 + 7 = 11　7 + 8 = 15

9 5 7 8
5 + 7 = 12　7 + 9 = 16
5 + 8 = 13　8 + 9 = 17
7 + 8 = 15　5 + 9 = 14

더하는 두 수의 순서는 서로 바뀔 수 있습니다.

52·53쪽

응용연산

1 상자 안의 두 수를 뽑아 합을 구할 때, 합이 되지 않는 수에 ×표 하세요.

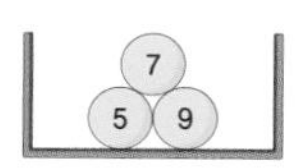

12　14　~~15~~　16

(상자: 4, 8, 6)

10　12　~~13~~　14

2 가로, 세로로 놓인 두 수의 합이 □ 안의 수가 되도록 필요 없는 수에 ×표 하고, 빈칸에 알맞은 수를 쓰세요.

12	14	13	
4	~~2~~	7	11
~~1~~	9	6	15
8	5	~~3~~	13

13	11	15	
4	~~2~~	7	11
~~5~~	6	8	14
9	5	~~8~~	14

15	11	12	
8	~~4~~	3	11
7	6	~~5~~	13
~~2~~	5	9	14

12	10	17	
~~8~~	6	9	15
5	~~4~~	8	13
7	4	~~8~~	11

3 각 주머니에서 수를 하나씩 골라 덧셈식을 만드세요.

7 + 9 = 16
4 + 8 = 12

4 주머니에 수가 적힌 공이 4개 있습니다. 물음에 답하세요.

유미가 주머니에서 꺼낸 공 2개에 적힌 수의 합이 11입니다. 공 2개에 적힌 수를 모두 쓰세요.

4, 7

철호가 주머니에서 나머지 공 2개를 꺼냈습니다. 철호가 꺼낸 공에 적힌 수의 합은 얼마일까요?

5+9= 14

54 • 55쪽

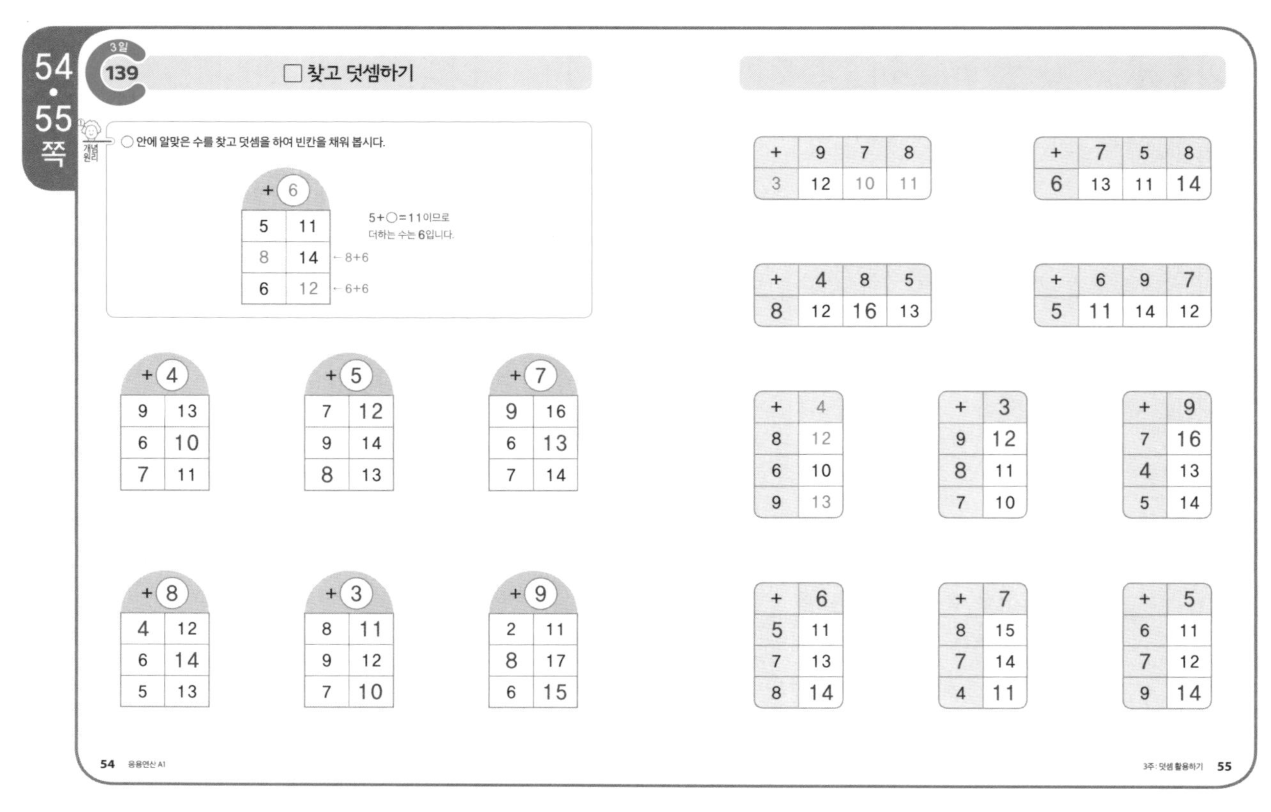
3일
139
□ 찾고 덧셈하기
개념원리
○ 안에 알맞은 수를 찾고 덧셈을 하여 빈칸을 채워 봅시다.
5+○=11이므로
더하는 수는 6입니다.
← 8+6
← 6+6
54 응용연산 A1
3주: 덧셈 활용하기 55

56 • 57쪽

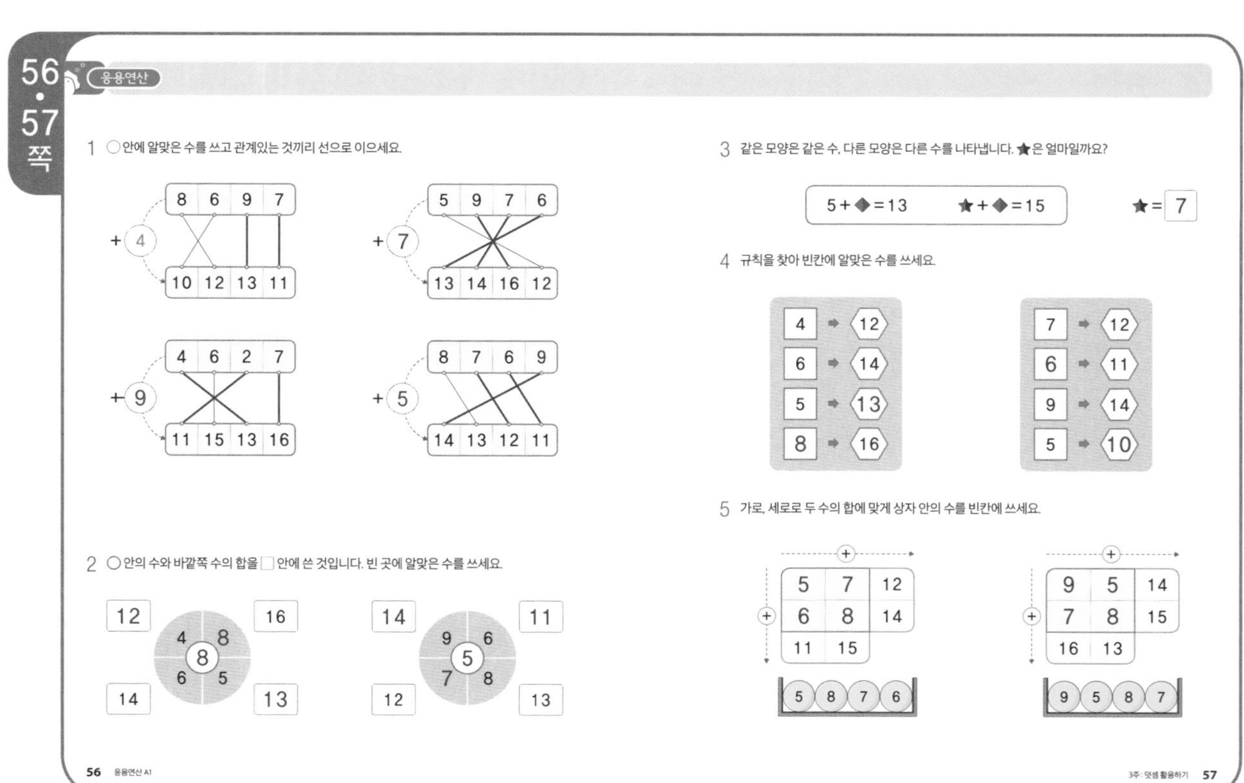
응용연산
1 ○ 안에 알맞은 수를 쓰고 관계있는 것끼리 선으로 이으세요.
2 ○ 안의 수와 바깥쪽 수의 합을 □ 안에 쓴 것입니다. 빈 곳에 알맞은 수를 쓰세요.
3 같은 모양은 같은 수, 다른 모양은 다른 수를 나타냅니다. ★은 얼마일까요?
5+◆=13 ★+◆=15
★= 7
4 규칙을 찾아 빈칸에 알맞은 수를 쓰세요.
5 가로, 세로로 두 수의 합에 맞게 상자 안의 수를 빈칸에 쓰세요.
56 응용연산 A1
3주: 덧셈 활용하기 57

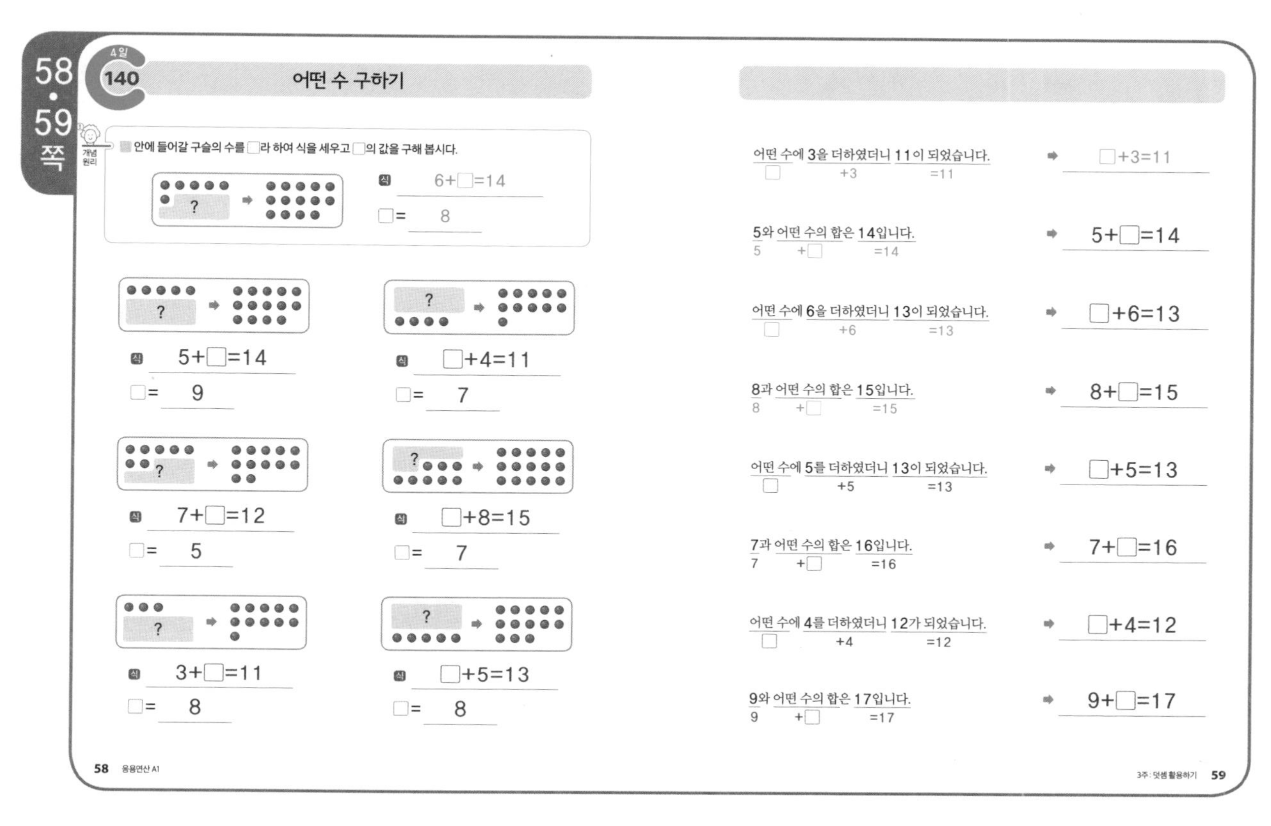
58·59쪽

4일 140

어떤 수 구하기

개념원리 ▢ 안에 들어갈 구슬의 수를 ▢라 하여 식을 세우고 ▢의 값을 구해 봅시다.

식 6+▢=14 ▢= 8

식 5+▢=14 ▢= 9

식 ▢+4=11 ▢= 7

식 7+▢=12 ▢= 5

식 ▢+8=15 ▢= 7

식 3+▢=11 ▢= 8

식 ▢+5=13 ▢= 8

어떤 수에 3을 더하였더니 11이 되었습니다. ➡ ▢+3=11

5와 어떤 수의 합은 14입니다. ➡ 5+▢=14

어떤 수에 6을 더하였더니 13이 되었습니다. ➡ ▢+6=13

8과 어떤 수의 합은 15입니다. ➡ 8+▢=15

어떤 수에 5를 더하였더니 13이 되었습니다. ➡ ▢+5=13

7과 어떤 수의 합은 16입니다. ➡ 7+▢=16

어떤 수에 4를 더하였더니 12가 되었습니다. ➡ ▢+4=12

9와 어떤 수의 합은 17입니다. ➡ 9+▢=17

58 응용연산 A1 3주 : 덧셈 활용하기 59

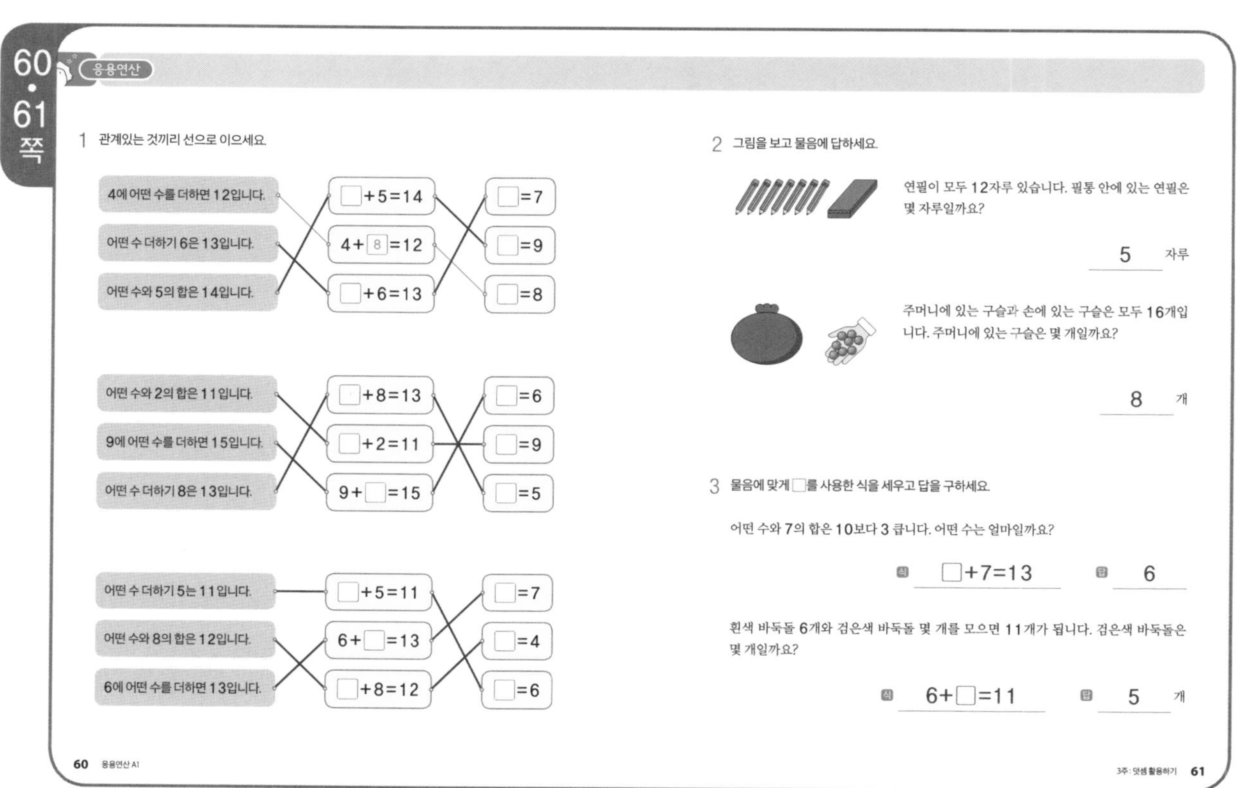
60·61쪽

응용연산

1 관계있는 것끼리 선으로 이으세요.

4에 어떤 수를 더하면 12입니다. — 4+8=12 — ▢=8
어떤 수 더하기 6은 13입니다. — ▢+6=13 — ▢=7
어떤 수와 5의 합은 14입니다. — ▢+5=14 — ▢=9

어떤 수와 2의 합은 11입니다. — ▢+2=11 — ▢=9
9에 어떤 수를 더하면 15입니다. — 9+▢=15 — ▢=6
어떤 수 더하기 8은 13입니다. — ▢+8=13 — ▢=5

어떤 수 더하기 5는 11입니다. — ▢+5=11 — ▢=6
어떤 수와 8의 합은 12입니다. — ▢+8=12 — ▢=4
6에 어떤 수를 더하면 13입니다. — 6+▢=13 — ▢=7

2 그림을 보고 물음에 답하세요.

연필이 모두 12자루 있습니다. 필통 안에 있는 연필은 몇 자루일까요? 5 자루

주머니에 있는 구슬과 손에 있는 구슬은 모두 16개입니다. 주머니에 있는 구슬은 몇 개일까요? 8 개

3 물음에 맞게 ▢를 사용한 식을 세우고 답을 구하세요.

어떤 수와 7의 합은 10보다 3 큽니다. 어떤 수는 얼마일까요?

식 ▢+7=13 답 6

흰색 바둑돌 6개와 검은색 바둑돌 몇 개를 모으면 11개가 됩니다. 검은색 바둑돌은 몇 개일까요?

식 6+▢=11 답 5 개

60 응용연산 A1 3주 : 덧셈 활용하기 61

정답 및 해설

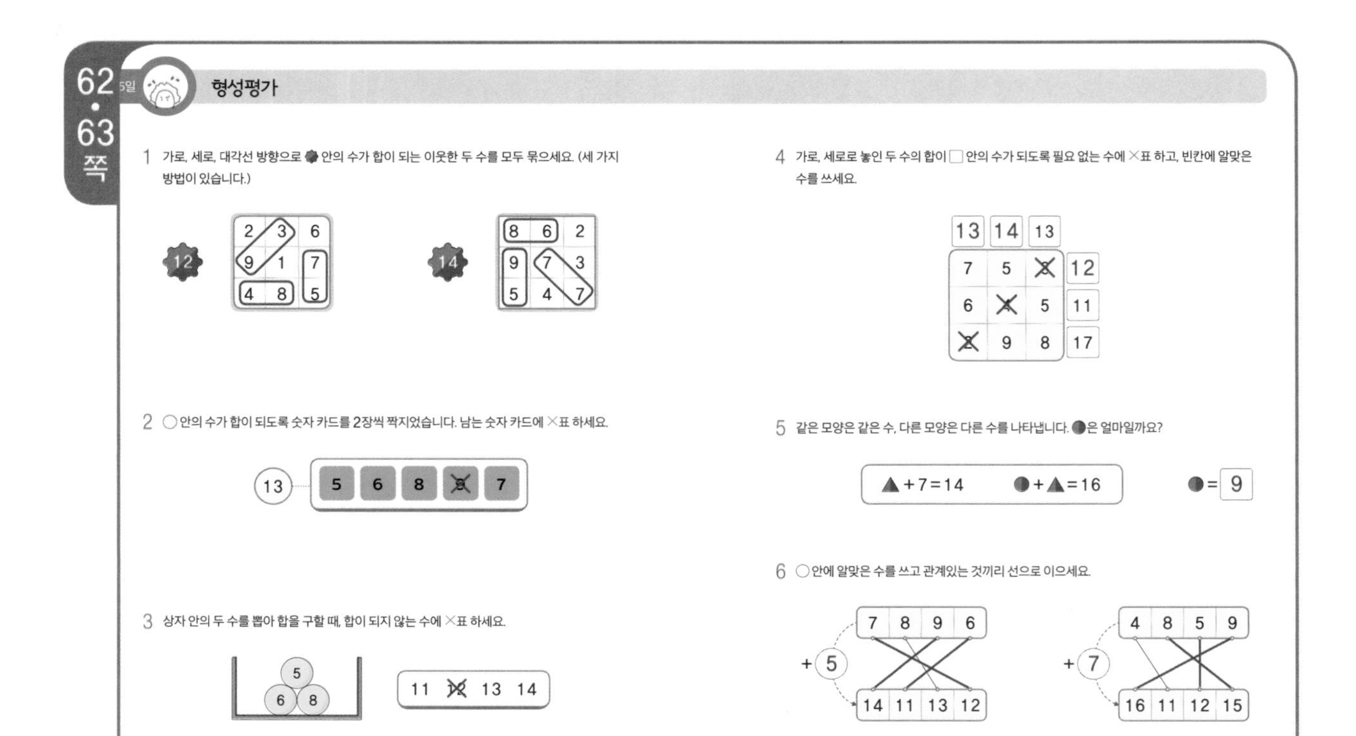

62·63쪽
5일
형성평가
1 가로, 세로, 대각선 방향으로 안의 수가 합이 되는 이웃한 두 수를 모두 묶으세요. (세 가지 방법이 있습니다.)
2 ○안의 수가 합이 되도록 숫자 카드를 2장씩 짝지었습니다. 남는 숫자 카드에 ×표 하세요.
3 상자 안의 두 수를 뽑아 합을 구할 때, 합이 되지 않는 수에 ×표 하세요.
4 가로, 세로로 놓인 두 수의 합이 □ 안의 수가 되도록 필요 없는 수에 ×표 하고, 빈칸에 알맞은 수를 쓰세요.
5 같은 모양은 같은 수, 다른 모양은 다른 수를 나타냅니다. ●은 얼마일까요?
▲+7=14 ●+▲=16
●=9
6 ○안에 알맞은 수를 쓰고 관계있는 것끼리 선으로 이으세요.
62 응용연산 A1
3주 : 덧셈 활용하기 63

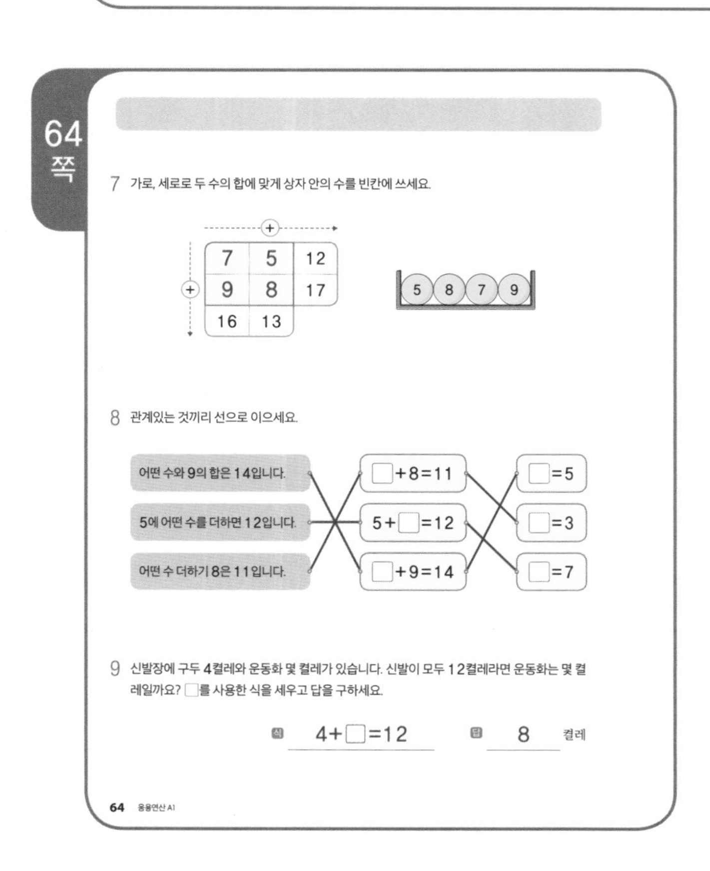

64쪽
7 가로, 세로로 두 수의 합에 맞게 상자 안의 수를 빈칸에 쓰세요.
8 관계있는 것끼리 선으로 이으세요.
어떤 수와 9의 합은 14입니다.
5에 어떤 수를 더하면 12입니다.
어떤 수 더하기 8은 11입니다.
□+8=11
5+□=12
□+9=14
□=5
□=3
□=7
9 신발장에 구두 4켤레와 운동화 몇 켤레가 있습니다. 신발이 모두 12켤레라면 운동화는 몇 켤레일까요? □를 사용한 식을 세우고 답을 구하세요.
식 4+□=12
답 8 켤레
64 응용연산 A1

세 수의 덧셈

66·67쪽

1일 141 세 수의 합

개념원리 세 수의 합을 구해 봅시다.

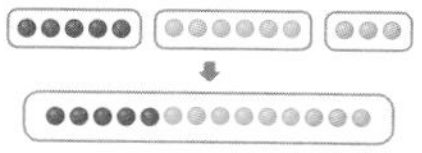

5+6+3= 11 +3= 14

5+6+3= 8 +6= 14

5+6+3= 5 + 9 = 14

세 수의 합을 구할 때는 순서에 상관없이 두 수를 더한 다음 나머지 한 수를 더합니다.

3+5+4= 8 +4 = 12

7+2+6= 9 +6 = 15

6+7+3= 9 +7 = 16

4+8+4= 8 +8 = 16

7+1+5=7+ 6 = 13

9+5+3=9+ 8 = 17

2+6+3= 11

2+9+7= 18

8+1+6= 15

7+4+2= 13

4+8+7= 19

6+7+1= 14

3+5+4= 12

4+3+3= 10

5+7+4= 16

4+2+5= 11

9+4+5= 18

8+6+2= 16

3+6+3= 12

7+9+3= 19

66 응용연산 A1 / 4주: 세 수의 덧셈 67

68·69쪽

응용연산

1 계산 결과에 맞게 길을 그리세요.

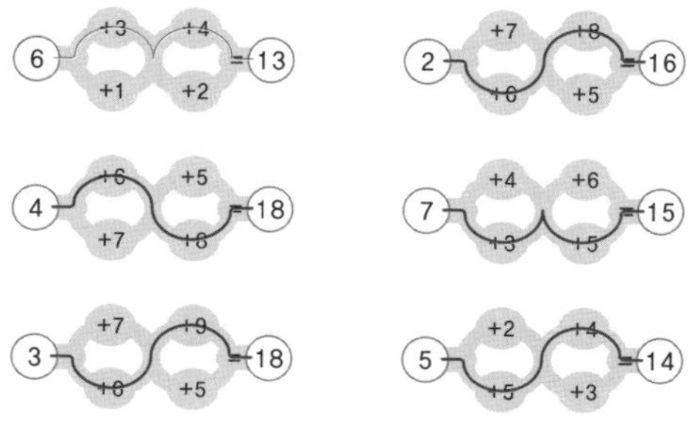

6 (+3, +1) (+4, +2) =13

2 (+7, +6) (+8, +5) =16

4 (+6, +7) (+5, +6) =18

7 (+4, +3) (+6, +5) =15

3 (+7, +8) (+3, +5) =18

5 (+2, +5) (+4, +3) =14

2 사다리를 타고 내려가는 길의 계산에 맞게 빈칸에 알맞은 수를 쓰세요.

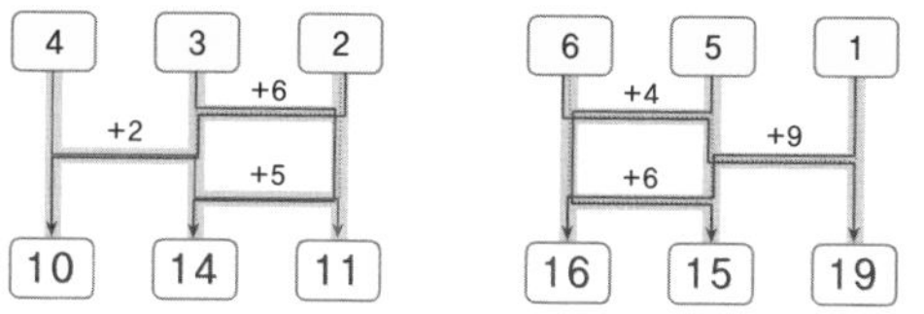

4, 3, 2 (+2, +6, +5) → 10, 14, 11

6, 5, 1 (+4, +6, +9) → 16, 15, 19

3 약속에 맞게 계산하세요.

약속 ■▣●=■+●+●

8▣3= 14
=8+3+3
=14

약속 ■◐●=■+■+●

4◐9= 17
=4+4+9
=17

4 공원에 참새 6마리, 까치 3마리, 비둘기 8마리가 있습니다. 공원에 있는 새는 모두 몇 마리일까요?

식 6+3+8=17 답 17 마리

5 하은이는 구슬 5개를 가지고 있고, 수진이는 하은이보다 구슬을 4개 더 가지고 있습니다. 두 사람이 가지고 있는 구슬은 모두 몇 개일까요?

식 5+5+4=14 답 14 개

6 승철이네 반 남학생은 7명이고, 여학생은 남학생보다 2명 더 많습니다. 승철이네 반 학생은 모두 몇 명일까요?

식 7+7+2=16 답 16 명

68 응용연산 A1 / 4주: 세 수의 덧셈 69

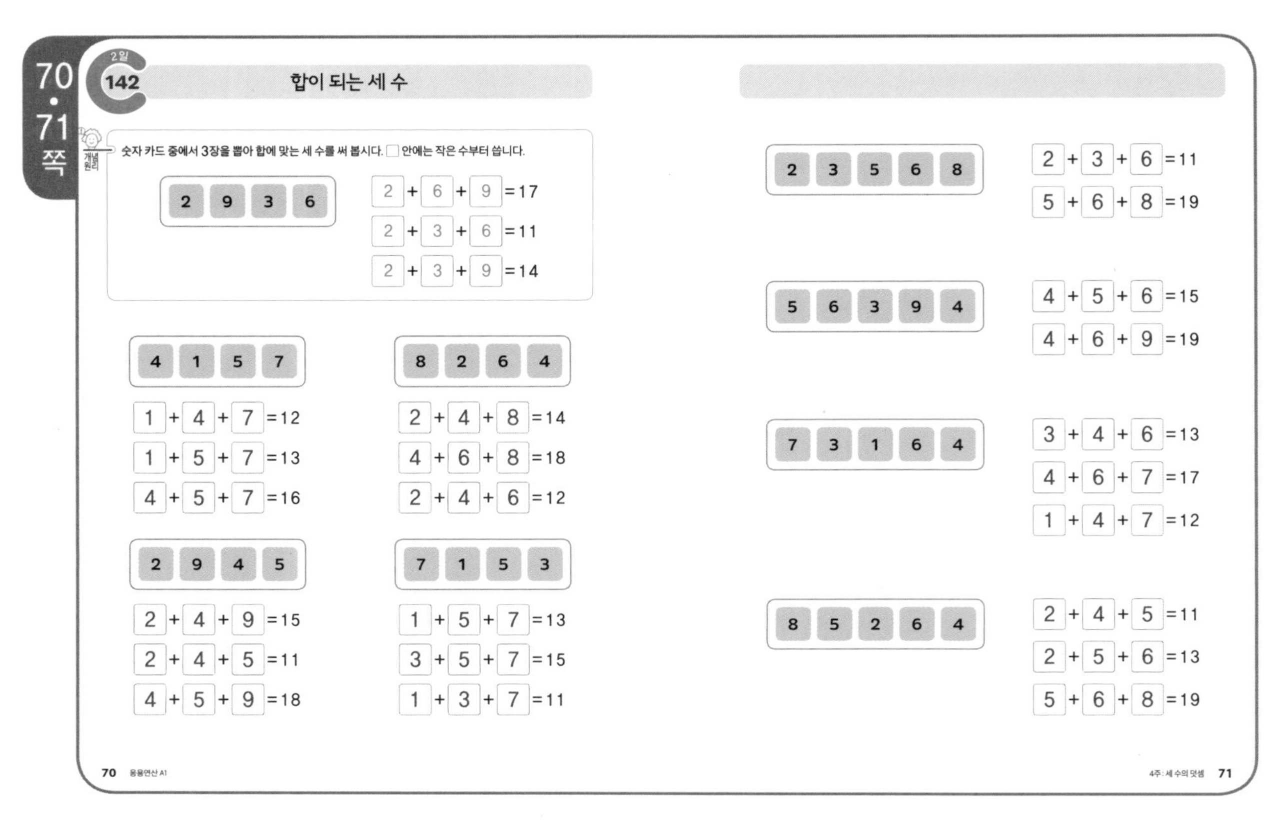

70·71쪽

2일 142 합이 되는 세 수

개념원리 숫자 카드 중에서 3장을 뽑아 합에 맞는 세 수를 써 봅시다. □ 안에는 작은 수부터 씁니다.

2 9 3 6

2 + 6 + 9 = 17
2 + 3 + 6 = 11
2 + 3 + 9 = 14

4 1 5 7

1 + 4 + 7 = 12
1 + 5 + 7 = 13
4 + 5 + 7 = 16

8 2 6 4

2 + 4 + 8 = 14
4 + 6 + 8 = 18
2 + 4 + 6 = 12

2 9 4 5

2 + 4 + 9 = 15
2 + 4 + 5 = 11
4 + 5 + 9 = 18

7 1 5 3

1 + 5 + 7 = 13
3 + 5 + 7 = 15
1 + 3 + 7 = 11

2 3 5 6 8

2 + 3 + 6 = 11
5 + 6 + 8 = 19

5 6 3 9 4

4 + 5 + 6 = 15
4 + 6 + 9 = 19

7 3 1 6 4

3 + 4 + 6 = 13
4 + 6 + 7 = 17
1 + 4 + 7 = 12

8 5 2 6 4

2 + 4 + 5 = 11
2 + 5 + 6 = 13
5 + 6 + 8 = 19

70 응용연산 A1 4주: 세 수의 덧셈 71

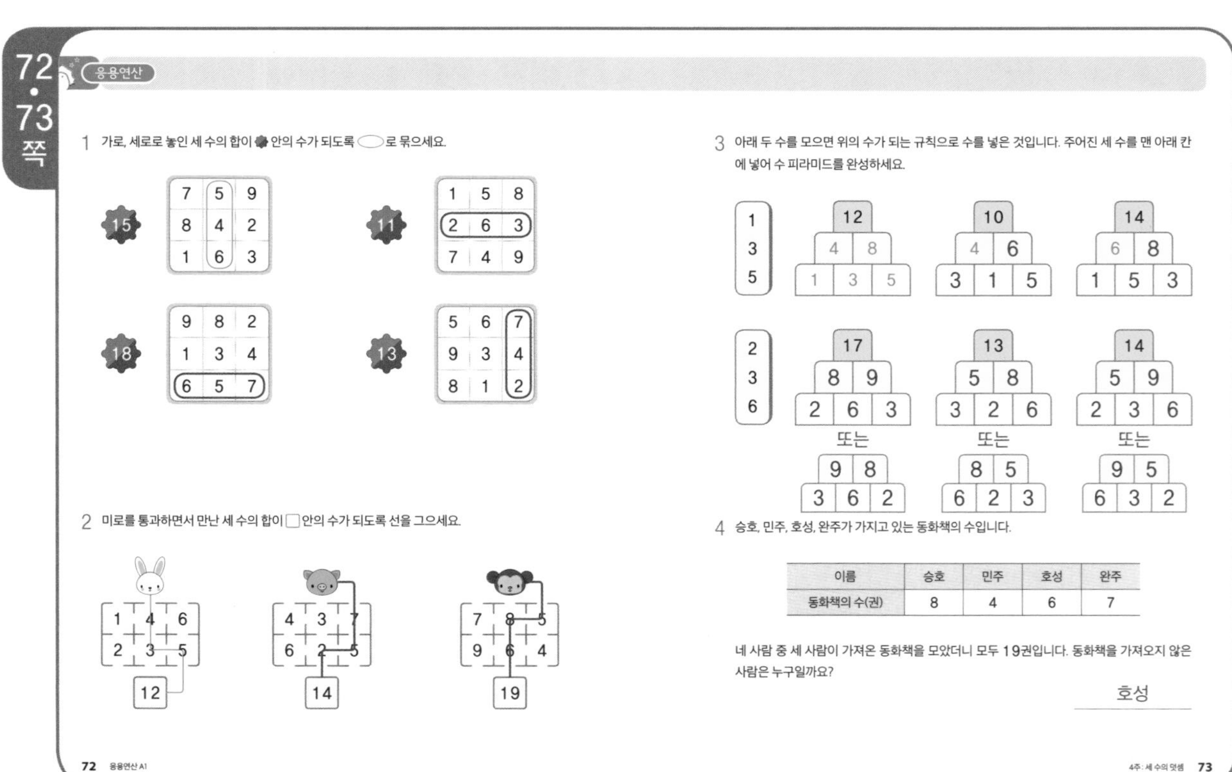

72·73쪽

응용연산

1 가로, 세로로 놓인 세 수의 합이 ✹ 안의 수가 되도록 ⬭로 묶으세요.

15: 7 5 9 / 8 4 2 / 1 6 3 (5, 4, 6)

11: 1 5 8 / 2 6 3 / 7 4 9 (2, 6, 3)

18: 9 8 2 / 1 3 4 / 6 5 7 (6, 5, 7)

13: 5 6 7 / 9 3 4 / 8 1 2 (7, 4, 2)

2 미로를 통과하면서 만난 세 수의 합이 □ 안의 수가 되도록 선을 그으세요.

1 4 6 / 2 3 5 → 12

4 3 7 / 6 2 5 → 14

7 8 5 / 9 6 4 → 19

3 아래 두 수를 모으면 위의 수가 되는 규칙으로 수를 넣은 것입니다. 주어진 세 수를 맨 아래 칸에 넣어 수 피라미드를 완성하세요.

1, 3, 5: 12 / 4 8 / 1 3 5 — 10 / 4 6 / 3 1 5 — 14 / 6 8 / 1 5 3

2, 3, 6: 17 / 8 9 / 2 6 3 또는 9 8 / 3 6 2 — 13 / 5 8 / 3 2 6 또는 8 5 / 6 2 3 — 14 / 5 9 / 2 3 6 또는 9 5 / 6 3 2

4 승호, 민주, 호성, 완주가 가지고 있는 동화책의 수입니다.

이름	승호	민주	호성	완주
동화책의 수(권)	8	4	6	7

네 사람 중 세 사람이 가져온 동화책을 모았더니 모두 19권입니다. 동화책을 가져오지 않은 사람은 누구일까요?

호성

72 응용연산 A1 4주: 세 수의 덧셈 73

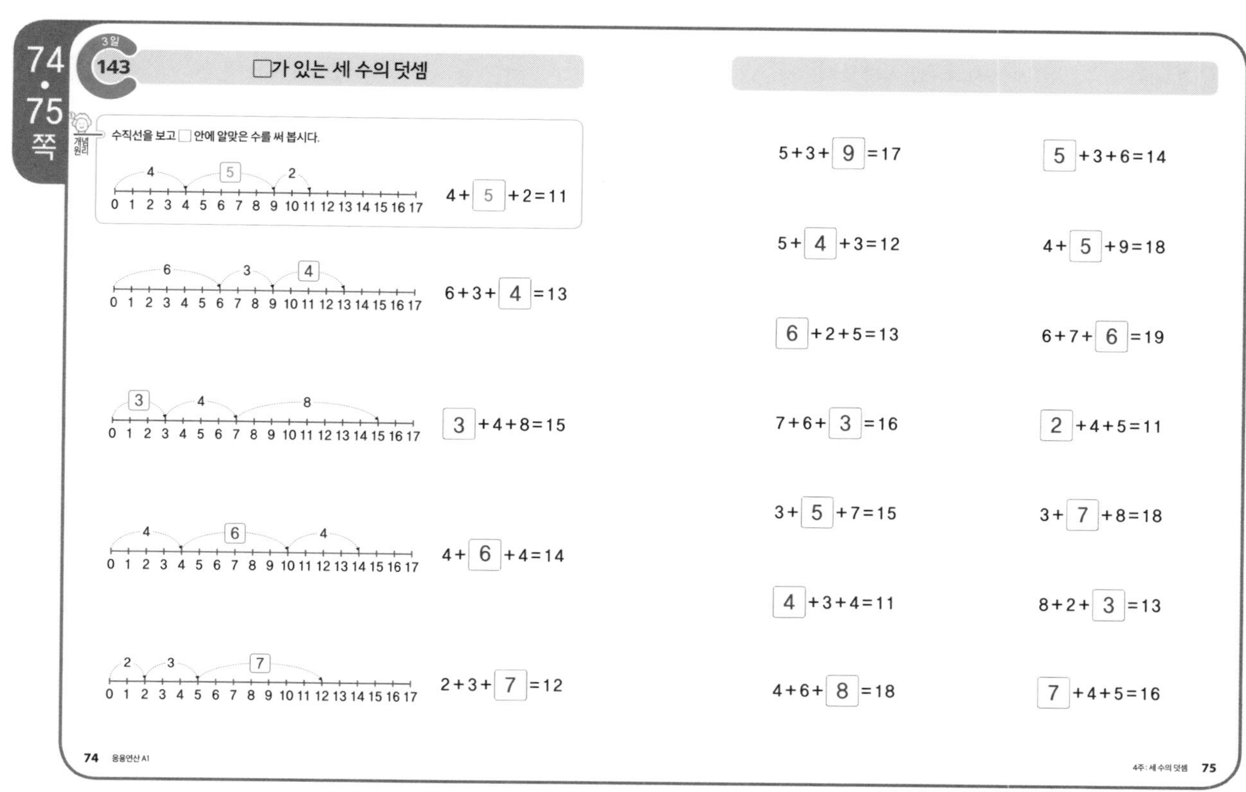

74·75쪽

3일 143

□가 있는 세 수의 덧셈

개념원리 수직선을 보고 □ 안에 알맞은 수를 써 봅시다.

4+ 5 +2=11

6+3+ 4 =13

3 +4+8=15

4+ 6 +4=14

2+3+ 7 =12

5+3+ 9 =17

5 +3+6=14

5+ 4 +3=12

4+ 5 +9=18

6 +2+5=13

6+7+ 6 =19

7+6+ 3 =16

2 +4+5=11

3+ 5 +7=15

3+ 7 +8=18

4 +3+4=11

8+2+ 3 =13

4+6+ 8 =18

7 +4+5=16

74 응용연산 A1

4주: 세 수의 덧셈 75

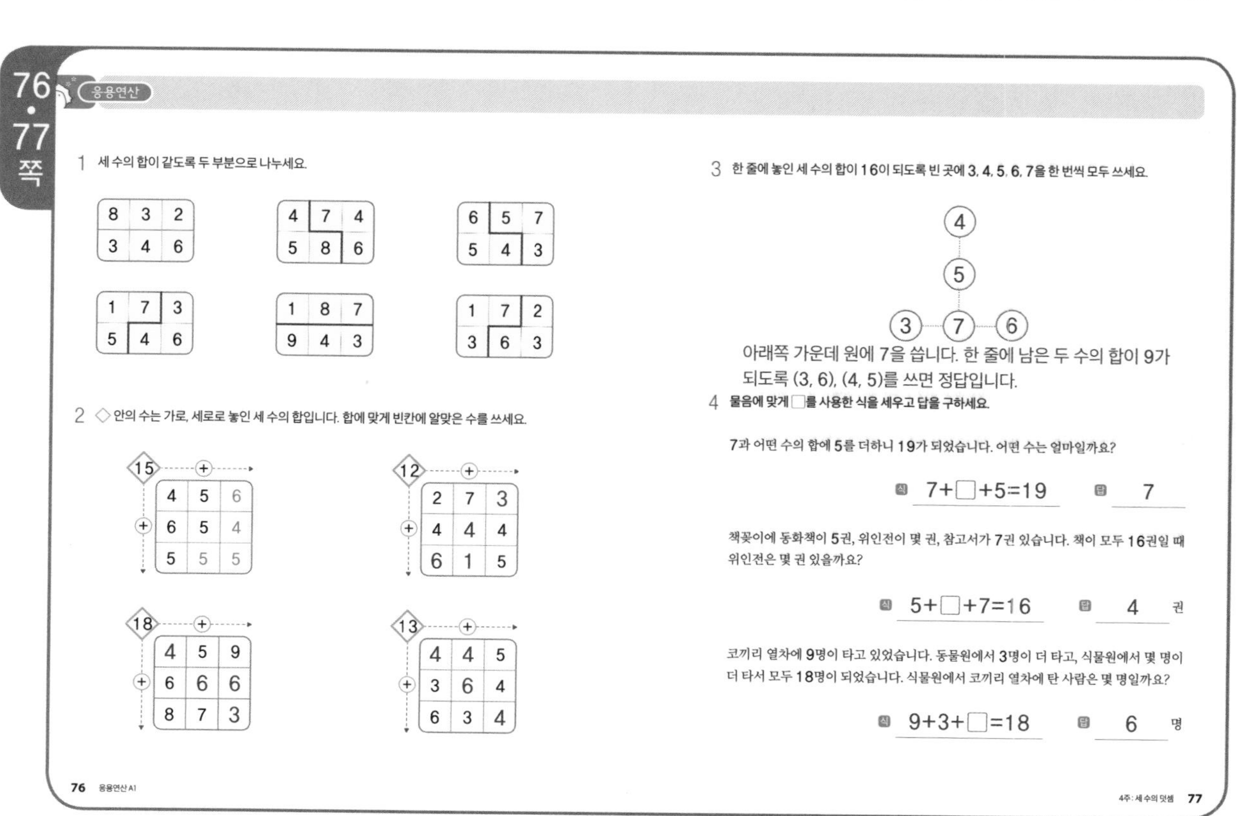

76·77쪽

응용연산

1 세 수의 합이 같도록 두 부분으로 나누세요.

2 ◇안의 수는 가로, 세로로 놓인 세 수의 합입니다. 합에 맞게 빈칸에 알맞은 수를 쓰세요.

15		
4	5	6
6	5	4
5	5	5

12		
2	7	3
4	4	4
6	1	5

18		
4	5	9
6	6	6
8	7	3

13		
4	4	5
3	6	4
6	3	4

3 한 줄에 놓인 세 수의 합이 16이 되도록 빈 곳에 3, 4, 5, 6, 7을 한 번씩 모두 쓰세요.

아래쪽 가운데 원에 7을 씁니다. 한 줄에 남은 두 수의 합이 9가 되도록 (3, 6), (4, 5)를 쓰면 정답입니다.

4 물음에 맞게 □를 사용한 식을 세우고 답을 구하세요.

7과 어떤 수의 합에 5를 더하니 19가 되었습니다. 어떤 수는 얼마일까요?

식 7+□+5=19 답 7

책꽂이에 동화책이 5권, 위인전이 몇 권, 참고서가 7권 있습니다. 책이 모두 16권일 때 위인전은 몇 권 있을까요?

식 5+□+7=16 답 4 권

코끼리 열차에 9명이 타고 있었습니다. 동물원에서 3명이 더 타고, 식물원에서 몇 명이 더 타서 모두 18명이 되었습니다. 식물원에서 코끼리 열차에 탄 사람은 몇 명일까요?

식 9+3+□=18 답 6 명

76 응용연산 A1

4주: 세 수의 덧셈 77

78 · 79쪽

4일 144 모양이 나타내는 수의 덧셈

개념원리: 같은 모양에는 같은 숫자, 다른 모양에는 다른 숫자가 들어갑니다. 빈칸을 채워 봅시다.

5 + [6] = 11
[6] + (8) = 14

5+□=11이므로 □ 안의 수는 6입니다.
6+○=14이므로 ○ 안의 수는 8입니다.

7 + 7 = 14
6 + 7 = 13

8 + 3 = 11
7 + 8 = 15

5 + 9 = 14
9 + 7 = 16

6 + 6 = 12
8 + 6 = 14

9 + 6 = 15
4 + 9 = 13

8 + 5 = 13
6 + 5 = 11

9 + 9 = 18
9 + 2 = 11

5 + 7 = 12
5 + 9 = 14

4 + 2 = 6
6 + 1 + 1 = 8
8 + 5 = 13

6 + 5 = 11
3 + 5 + 4 = 12
6 + 6 = 12

1 + 9 = 10
2 + 4 + 3 = 9
8 + 4 = 12

3 + 1 = 4
9 + 1 + 4 = 14
3 + 6 = 9

8 + 8 = 16
6 + 3 + 7 = 16
4 + 8 = 12

5 + 8 = 13
3 + 8 + 4 = 15
7 + 6 + 2 = 15

80 · 81쪽

응용연산

1 같은 모양은 같은 수, 다른 모양은 다른 수를 나타냅니다. 사각형 밖의 수는 가로, 세로로 놓인 수의 합입니다. □ 안에 알맞은 수를 쓰세요.

4			4
4	9		13
7	3	9	19
15	12	9	

		5	5
	9	4	13
6	6	4	16
6	15	13	

	5	9	14
9	5	4	18
4	5	4	13
13	15	17	

5	3	6	14
3	6	6	15
5	3	6	14
13	12	18	

4	3	7	14
4	6	6	16
4	6	3	13
12	15	16	

6	3	3	12
7	3	7	17
5	5	5	15
18	11	15	

2 같은 모양은 같은 수, 다른 모양은 다른 수를 나타냅니다. □ 안에 알맞은 수를 쓰세요.

4 + 2 = ▲
▲ + ● + ● = 14
(6) (4) (4)
● = [4]

3 세 수는 모두 1부터 9까지의 수입니다. 물음에 맞는 세 수를 구하세요.

어떤 세 수의 합은 15이고, 세 수가 모두 같습니다.

[5], [5], [5]

어떤 세 수의 합은 19입니다. 세 수는 모두 다른 수이고, 4보다 큰 수입니다.

[5], [6], [8]

어떤 세 수의 합은 12입니다. 두 수는 같고, 나머지 한 수는 가장 작습니다.

[2], [5], [5]

82·83쪽

5일 형성평가

1 약속에 맞게 계산하세요.

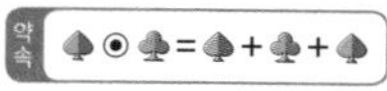

4⊙7= 15
=4+7+4
=15

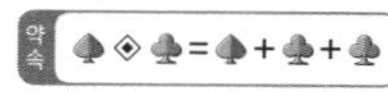

5◈6= 17
=5+6+6
=17

2 세발자전거는 4대이고, 두발자전거는 세발자전거 보다 7대 더 많습니다. 자전거는 모두 몇 대일까요?

식 4+4+7=15 답 15 대

3 가로, 세로로 놓인 세 수의 합이 ✹ 안의 수가 되도록 ⬭로 묶으세요.

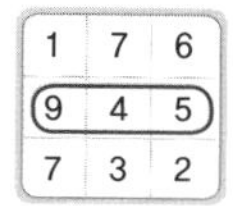

1	7	6
(9	4	5)
7	3	2

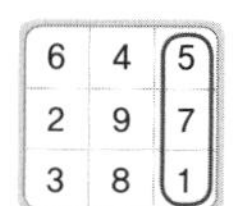

6	4	(5
2	9	7
3	8	1)

4 아래 두 수를 모으면 위의 수가 되는 규칙으로 수를 넣은 것입니다. 주어진 세 수를 맨 아래 칸에 넣어 수 피라미드를 완성하세요.

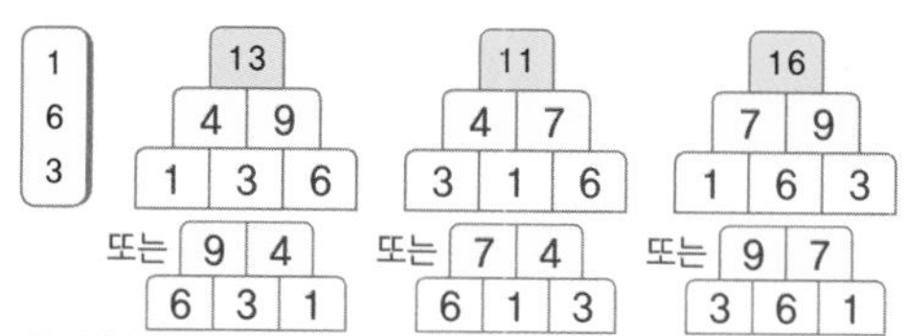

1, 6, 3

13 / 4 9 / 1 3 6 — 또는 9 4 / 6 3 1

11 / 4 7 / 3 1 6 — 또는 7 4 / 6 1 3

16 / 7 9 / 1 6 3 — 또는 9 7 / 3 6 1

5 세 수의 합이 같도록 두 부분으로 나누세요.

6	4	2
5	3	8

2	3	6
1	7	3

5	8	6
4	9	2

6 ◇안의 수는 가로, 세로로 놓인 세 수의 합입니다. 합에 맞게 빈칸에 알맞은 수를 쓰세요.

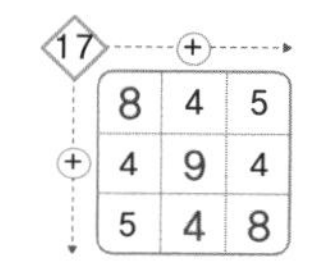

17

8	4	5
4	9	4
5	4	8

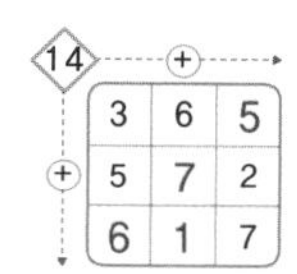

14

3	6	5
5	7	2
6	1	7

84쪽

7 주차장에 택시 8대, 버스 4대, 트럭 몇 대가 주차되어 있습니다. 주차된 차는 모두 18대입니다. 트럭은 몇 대일까요? □를 사용한 식을 세우고 답을 구하세요.

식 8+4+□=18 답 6 대

8 같은 모양은 같은 수, 다른 모양은 다른 수를 나타냅니다. 사각형 밖의 수는 가로, 세로로 놓인 세 수의 합입니다. □안에 알맞은 수를 쓰세요.

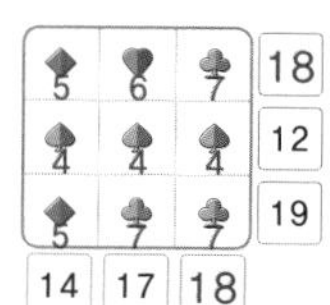

5	6	7	18
4	4	4	12
5	7	7	19
14	17	18	

6	4	2	12
6	3	3	12
6	4	6	16
18	11	11	

9 어떤 세 수의 합은 16입니다. 두 수는 같고, 나머지 한 수는 가장 작습니다. 어떤 세 수를 구하세요. 세 수는 모두 2보다 큰 수입니다.

6, 6, 4

Memo

Memo

“

Numbers rule the universe.

”

"수가 우주를 지배한다"

Pythagoras, 피타고라스